UN JOUR, ILS ENTENDRONT
MES SILENCES

DE LA MÊME AUTEURE

Fils d'Ariane, Montréal, Éditions de l'As, 2005.

Marie-Josée Martin

Un jour, ils entendront mes silences

ROMAN

Les Éditions
David

Catalogage avant publication de Bibliothèque et Archives Canada

Martin, Marie-Josée, 1969-
   Un jour, ils entendront mes silences / Marie-Josée Martin.

(Voix narratives)
Publ. aussi en formats électroniques.
ISBN 978-2-89597-270-9

   I. Titre. II. Collection : Voix narratives.

PS8626.A7725J68 2012   C843'.6   C2012-904779-1

Les Éditions David remercient le Conseil des Arts du Canada, le Secteur
franco-ontarien du Conseil des arts de l'Ontario et la Ville d'Ottawa.
En outre, nous reconnaissons l'aide financière du gouvernement du Canada
par l'entremise du Fonds du livre du Canada pour nos activités d'édition.

    Conseil des Arts   Canada Council
du Canada   for the Arts   ONTARIO ARTS COUNCIL
CONSEIL DES ARTS DE L'ONTARIO

Les Éditions David   Téléphone : 613-830-3336
335-B, rue Cumberland   Télécopieur : 613-830-2819
Ottawa (Ontario) K1N 7J3   info@editionsdavid.com
www.editionsdavid.com

À mon père.
Il a compris très tôt qu'aimer la rose,
c'est aussi aimer ses épines.

À Tracy.
Son énigmatique sourire
continue de me hanter.

*Les gens n'ont pas pu voler
pendant longtemps.*

*À mon avis, c'est parce qu'ils
pensaient que c'était impossible.*

Richard BACH

Prologue

TOUT EST clair maintenant.

La tortue des Galapagos vit jusqu'à deux siècles, mais l'éphémère au plus quarante-huit heures. J'ai habité treize ans le corps qui gît bleu et froid au bord de la piscine. Treize ans, deux siècles ou quarante-huit heures s'équivalent dans le regard d'une étoile; l'essentiel est, de toute façon, hors du temps.

J'ai vu venir la fin. Qui sème de l'avoine ne peut espérer récolter du blé.

Le soleil brille. Ses rayons, filtrés par la roseraie, dessinent des ombres énigmatiques sur le mur de la maison. Qui soupçonnerait, en regardant ce noir lacis, la beauté et le parfum sublime des fleurs?

J'ai vu venir la fin. Elle est venue comme elle devait venir. Je m'envole, pour de bon cette fois.

Longtemps l'écho de mes silences jacasseurs se prolongera dans leurs oreilles.

Je garderai pour eux le souvenir de ce que nous avons été, de ce que j'ai crié au vent faute de pouvoir le leur dire.

Un jour, ils l'entendront.

CHAPITRE 1

Un *transformeur*
sommeille en chacun

Lorsque lovée dans le ventre de Magalie je ne faisais qu'une avec elle, nous jouissions de l'incomparable plénitude de la perfection. Suivant l'ordre des choses terrestres, Magalie m'expulsa un jour de son corps. Je vins au monde. À l'unité succéda ainsi la séparation, puis la comparaison.

— Quand vas-tu rentrer ça dans ton crâne? Jamais notre fille ne va tendre les bras vers nous pour se faire prendre. Jamais elle ne va courir à ma rencontre en criant « maman! » Un fossé la sépare déjà des autres enfants, et il va continuer à se creuser. As-tu idée de ce que ça me fait en dedans?

— La docteure a dit qu'elle a vu certains patients faire des progrès remarquables.

— Oui, et elle nous a aussi expliqué que, remarquable, pour Corinne, serait de pouvoir se tenir la tête droite et mastiquer des aliments solides.

Mastiquer des solides, quoi de plus anodin! Remarquable est ma tolérance pour ces emportements, qui deviennent de plus en plus fréquents.

— À cet âge-là, non seulement Benoît mangeait déjà tout seul à la fourchette, mais il n'arrêtait pas de parler. Évidemment, tu ne sais pas quel défi manger représente pour notre fille. C'est toujours moi qui lui donne ses repas.

Dans le séjour, mon frère Benoît se rapproche du téléviseur et en monte le volume. Il voudrait disparaître quand la conversation de nos parents s'envenime et que Magalie barrit d'exaspération. À défaut de posséder le secret de l'invisibilité, il a son bouclier de bruits, incrusté des pan-pan, vroum-vrrrroum et taratata de ses dessins animés. Télécommande dans une main, verre de lait dans l'autre, il se fond dans l'univers des *transformeurs*.

Moi, j'avale sans mot dire ma purée de bananes, mes grandes prunelles brunes rivées sur Magalie, dont le front plissé annonce un imminent kaboum!

Les héros animés de mon frère aîné sont des robots batailleurs, capables de se transformer en camions, d'où leur nom. Raymond appartient, quant à lui, à une autre classe de *transformeurs* : les zoomorphes. Confronté par Magalie, il fuit aux champs du pas balourd d'un ours bougon. Quand la fuite s'avère impossible, il fait l'huître qui se réfugie dans sa coquille pour parer l'attaque. Il n'a cependant jamais osé mesurer toute l'étendue de ses talents zoomorphiques, comme s'il répugnait à franchir une barrière imaginaire entre lui et les habitants de notre étable.

— Je la fais déjeuner si tu veux.

Il adoucit la voix, écourte ses réponses. L'effet est prévisible. Ne se souvient-il pas de la dernière fois? Malgré lui, il avive la colère de Magalie qui, sous ses airs de gazelle, cache un tempérament d'éléphante. Grand-père

Farah serait d'ailleurs soulagé d'apprendre qu'après tout sa fille, la Nord-Américaine, porte en elle un petit morceau de l'Afrique, ce lointain et mystérieux continent qu'il a quitté pour l'amour d'une femme. Tiens, je me demande si grand-père a, lui aussi, des talents de *transformeur*.

— Tu ne m'écoutes pas! Je ne t'ai pas demandé de lui donner son déjeuner, je sais tout le travail qui t'attend. Ce dont j'ai besoin Raymond, c'est que tu acceptes enfin ses limitations, avec tout ce que cela suppose. J'ai besoin que tu arrêtes de prétendre que tout est normal.

Un bruit de verre cassé provoque une intermission. En parfaite synchronie, Magalie et Raymond se tournent vers le séjour. Il leur suffit de deux secondes pour évaluer les dégâts puis, d'un regard, convenir d'un plan d'action, qu'ils confirment d'un hochement de tête.

— Benoît, bouge pas. J'arrive, dit Raymond.

Mon frère aurait-il cassé exprès son verre? Le moment n'aurait pu être mieux choisi. Quand Raymond revient, Magalie a retrouvé son calme. Tout en gardant un œil sur moi, elle s'approche de l'évier où il s'affaire à rincer la vadrouille souillée de lait. Elle s'appuie contre l'armoire. Ils sont redevenus tous les deux humains.

— Je n'en peux plus, Raymond. Je suis vidée. J'ai parlé à ma sœur, Sarah.

— Vous avez recommencé à vous parler?

— Oui. Il a fallu que papa s'en mêle, mais, oui, nous avons recommencé à nous parler et elle m'a invitée à refaire mes forces chez elle. J'ai accepté. Je vais emmener Corinne. Toi et Benoît pourrez vous arranger seuls pendant ce temps-là?

Raymond se racle la gorge. Si Magalie a besoin d'une pause, il ne va pas l'en priver. Il sait combien les derniers mois, les dernières années l'ont éprouvée. Lui, il a bien ses voyages de chasse.

— Bien sûr, on pourra s'arranger pendant quelques jours. On en jasera ce soir.

— Quelques jours ? Tu me dois bien quelques semaines, non ? Et tant qu'à dépenser pour des billets d'avion, aussi bien en profiter, surtout que l'hébergement sera gratuit.

— C'est le temps des semailles, Magalie.

— *I know that.* Je sais. C'est la raison pour laquelle j'ai attendu que Pierre revienne. Je ne voulais pas que tu te retrouves avec une triple tâche. J'ai…

— OK ! Tu partirais quand ?

— Les billets sont achetés. Je m'envole de Dorval à vingt-deux heures dix.

— Ce soir ?!

— Oui, ce soir.

Raymond hoche vaguement la tête. Ni refus ni acquiescement, son geste tient de la résignation du fermier devant un caprice de la nature, fût-il sécheresse ou déluge. Sans eau, les cultures se dessèchent et meurent ; trop les fait pourrir. Il flotte justement dans l'air un relent de pourriture.

— Bon… Tu m'excuses, mais je dois vraiment y aller maintenant. Il faut que je termine le champ nord aujourd'hui.

Raymond s'éclipse. Magalie m'incite à avaler une dernière bouchée. L'agitation m'a coupé l'appétit, mais j'obéis quand même comme la bonne petite fille que je suis, espérant ainsi lui faire plaisir ou, à tout le moins, éviter de la contrarier davantage. Benoît nous rejoint à la cuisine. À sa mine déconfite, je devine qu'il n'a rien perdu de la conversation, malgré le volume du téléviseur.

— Maman, tu vas pas t'en aller ?

Magalie se penche vers lui et caresse d'un doigt sa joue basanée.

— Juste pour de courtes vacances. Nous en reparlerons au souper. Vite, va brosser tes dents. L'autobus sera là dans quelques minutes.

Se tournant vers moi, elle ajoute :

— Que dirais-tu que je te débarrasse de cette bavette toute sale ?

Magalie s'exécute promptement et essuie mon visage. Nous accompagnons ensuite Benoît jusqu'au bout du chemin qui mène à notre maison et attendons avec lui le passage de l'autobus scolaire. Cela fait partie de notre rituel quotidien. Rarement Magalie y déroge-t-elle.

Bientôt, j'aperçois au loin le nez de l'autobus jaune orange qui s'en vient chercher mon frère pour le conduire à l'école.

— Tu as bien mis ton cahier de leçons dans ton cartable ?

Benoît répond d'un ton piteux : il a son cahier de leçons et son déjeuner et son short de gym. Il rumine visiblement l'annonce faite au déjeuner, et toutes les cajoleries maternelles ne changeront rien à ses appréhensions.

— À ce soir, mon chou.

J'adore la façon dont Magalie prononce ce mot. Dans sa bouche, il enveloppe et caresse tout à la fois. N'importe qui d'autre vous le largue sans rien réussir à évoquer, hormis la pâleur froide des feuilles vertes servies râpées, en salade. Magalie, elle, le retient juste le temps qu'il faut au creux de sa langue pour qu'il se réchauffe et se dilate.

Nous nous retrouvons seules au bord de la route, devant la rivière gonflée par les crues printanières. L'année de ma naissance, la rivière monta si haut que ses flots léchèrent l'asphalte. Était-ce la faute de Magalie pour l'avoir prodigalement nourrie de ses larmes ? Magalie sait fort bien que les pires crues sont invisibles. La rivière finit par regagner son lit, mais les trop-pleins des cœurs peuvent mener à la noyade intérieure. Elle a compris qu'il faut ouvrir les vannes et laisser sortir l'eau par les yeux. Je crains en revanche pour Benoît. Il s'évertue à ressembler à Raymond qui, lui, n'a jamais appris à pleurer — du moins n'ai-je pu acquérir la preuve du contraire. Je tâcherai d'expliquer tout cela à mon frère quand il rentrera de l'école, s'il veut bien m'entendre.

Magalie et moi rebroussons chemin. Mon regard se porte sur notre maison de pierre des champs avec ses dépendances : sa grange au toit de tôle rouge, le silo, l'étable. Les Larose cultivaient ce lopin de terre bien avant que les Anglais n'arrivent, rappelle constamment grand-père Bertrand avec une amertume vindicative. Derrière, la montagne offre fièrement ses vieilles bosses grises à la caresse du jour. Le vent charrie sur la plaine une odeur de fumier et d'humidité, de même que le bourdonnement lointain d'une autoroute.

Je me garde d'émettre le moindre son : je sais que Magalie compte sur ce moment de relative tranquillité pour établir le programme de la journée.

— *First things first...* D'abord, ranger la cuisine. Et puis, pendant que tu regarderas ton *Félix et Ciboulette*, moi, je vais préparer une grosse chaudrée de soupe.

Elle allonge sa liste : les plats à préparer, la lessive, nos valises, la comptabilité... Elle ne se rendra pas au bout. Quand elle me servira ma collation, elle l'allongera encore de deux ou trois extras, des mais-ça-ne-prendra-que-cinq-petites-minutes virant en quarts d'heures, voire en demi-heures. Et ce soir, elle s'indignera de n'avoir pas tout accompli. Si seulement elle planifiait à l'occasion de

s'asseoir à mes côtés pour savourer quelques instants d'oisi-
veté. Mais qui a déjà vu une gazelle s'asseoir !

Au moment où nous nous apprêtons à rentrer, M. Pierre
arrive dans sa camionnette grise. Il se gare, nous salue d'un
grand geste de la main, puis vient vers nous. Il parle quelques instants avec Magalie, elle, appuyée à la balustrade de
la galerie, lui, debout entre deux marches.

— Et Aline ?

— Elle jure qu'il y a des mois qu'elle s'est pas sentie
bien de même, dit-il. Elle veut que j'eille la foi. J'y crois pas,
à ses affaires, mais j'veux plus qu'on se fasse la guerre. Ça
fait que j'me la ferme, tu comprends ? Au moins, la visite
lui a rendu son sourire.

Magalie acquiesce doucement.

— J'te raconterai, mais là, tout de suite, il y a sûrement
du travail qui m'attend.

— Tu me raconteras à mon retour.

— *Beautiful British Columbia ?*

En quelques mots, Magalie confirme notre départ.
Il nous souhaite bon voyage, demande la permission de
déposer sur chacune de nos joues un baiser, puis nous
laisse pour vaquer à ses tâches. Malgré mon agitation et la
fébrilité maternelle, la journée se déroule à peu près normalement. Magalie achève avec célérité nos bagages, qu'elle
préparait dans le secret depuis des semaines. Au retour de
Benoît, sitôt le goûter terminé, elle nous astreint comme de
coutume aux devoirs, comme si les avions n'existaient pas.

Mon frère a son arithmétique ; moi, mes exercices.
Fidèle aux prescriptions de la docteure, Magalie fait jouer
une à une mes articulations raides comme les pentures
d'une porte de grange malmenée par les intempéries. Des
comptines rythment nos enchaînements. Un, deux, trois/
flexions du genou droit/je m'en vais aux bois. Le temps

qu'il faut pour compter de dix moutons à une souris verte égale un étirement.

Je ne vois pas l'utilité de cette gymnastique, mais je ne suis qu'une poupée entre ses mains, tout juste capable de lui opposer une résistance mentale. Au reste, plus mon esprit se cabre, plus la douleur croît. La souris verte vire écarlate. Au contraire, lorsque j'accepte le mouvement, s'engage un dialogue tactile entre nous. À sa cadence, à la température de sa peau et aux variations dans la pression exercée par ses doigts, je devine ses humeurs avant qu'elles ne cisèlent son front café au lait. Magalie, elle, sait lire mes contractures. Elle parvient même à décoder mes états d'âme quand elle oublie pour un instant les sarraus-blancs et l'Avenir avec un grand «A», projetant dans sa tête des ombres si longues qu'elles en obscurcissent le présent.

Je suis également une poupée aux yeux de mon frère et, bien entendu, un garçon ne s'intéresse pas aux poupées — un garçon n'est pas *censé* s'intéresser aux poupées. Pour capter son attention, il faudrait que je me transforme en voiture de course ou en camion de pompiers.

Après les devoirs, Magalie nous rend notre liberté et tourne son attention vers les préparatifs du souper. Allongée sur le sol, je guette Benoît qui empile les pièces rouges, bleues et vertes de son jeu de construction. Avec quelle facilité il modèle, démolit et rebâtit les maisons, palissades et garages! Je mobilise toute ma volonté pour contribuer au parachèvement de son œuvre, mais n'obtiens de mes bras qu'un spasme incontrôlé qui déclenche un éboulement, suivi de lamentations.

— Maman, Corinne casse tout!

S'il savait l'agilité de mes neurones, les châteaux que je construis avec lui dans mon imagination et l'irritation que j'éprouve à ne pouvoir maîtriser cette informe enveloppe de chair et d'os. Mon boulet.

— Elle a juste envie de jouer avec toi, lance Magalie depuis la cuisine, d'où elle n'a cessé de nous surveiller.

Elle veut se montrer compréhensive avec Benoît, mais je peux entendre la jubilation dans sa voix : même ratée, ma tentative d'interaction avec le monde physique revêt des allures de haut fait.

Magalie dépose son couteau et vient nous rejoindre dans le séjour.

— Oui, mais…

— Benoît, coupe-t-elle, accroupie à côté de lui pour mieux soutenir son regard, tu te souviens de la fête chez ton ami Rodrigue? En rentrant, tu m'as posé une question.

— Je t'ai demandé pourquoi Corinne marchait pas encore, parce que Zoé, la sœur de Rodrigue, elle est capable de se tenir debout et c'est juste un bébé.

— Et tu te souviens de ce que je t'ai répondu?

— Tu m'as dit que Corinne était différente, spéciale… que ses muscles à elle avaient la tête dure.

Et parce que je suis spéciale, Magalie dort mal, Raymond rage et Benoît me hait. «Pardonne-moi Benoît!» À l'intérieur de mon crâne, je forme et articule clairement les mots. «Pardonne-moi d'avoir détruit ta belle création…» Mais pas un son ne s'échappe de ma bouche. Il continue à m'ignorer.

— Tu lui prêtes deux ou trois pièces? S'il te plaît, insiste Magalie.

Benoît obéit à contrecœur. Avant de retourner à ses chaudrons, Magalie lui administre quelques chatouillis sous les côtes, auxquels il répond par un «Maman!» de protestation.

Profitant d'un infime relâchement de l'attention maternelle, Benoît ne tarde toutefois pas à se réapproprier en douce les pièces prêtées. Triomphant, il les pose sur le sommet d'un nouvel édifice : une tour multicolore. Cette fois, je me contente d'admirer son œuvre. Magalie appelle la famille à table au moment où il s'apprête à ouvrir un nouveau chantier.

Élaboré des semaines à l'avance, le menu du souper a des airs de fête. Magalie a voulu plaire à ses hommes. Une symphonie d'odeurs plane dans la cuisine, dominée par les effluves de porc rôti et de sucre caramélisé. Autour de la table, l'atmosphère n'a cependant rien de festif. Tous n'ont qu'une chose en tête, mais n'osent en parler.

Raymond se lance dans un long exposé sur ce qu'il appelle «les égarements» de l'Union des producteurs agricoles. Magalie feint l'intérêt. Les subtilités de la politique paysanne la dépassent ou, plutôt, l'anesthésient. Elle s'emballerait plus facilement pour un imbroglio à la mairie de Wundanyi, au fin fond du Kenya paternel. Cinq petites années à la campagne ne vous changent pas une Torontoise en habitante. Quand Benoît enfourne sa première bouchée de dessert, elle doit pourtant se résoudre à parler de la logistique de notre départ. S'adressant directement à mon frère, elle annonce sur un ton anodin :

— J'ai demandé à Guylaine de venir te garder. Elle devrait d'ailleurs arriver d'une minute à l'autre.

— Mais maman, j'aimerais ça, moi, aller vous reconduire à l'aéroport avec papa.

— Tu connais la règle : au lit à sept heures et demie quand tu as de l'école le lendemain. Autrement, tu t'endors sur ton pupitre l'après-midi.

Benoît implore :

— On pourrait pas faire une exception ?

— Non, pas d'exception.

Magalie est catégorique. Raymond lui lance une œillade imploratrice, mais il se garde bien de la contredire ouvertement devant nous, les enfants. Benoît revient à la charge.

— Dites, pourquoi on n'irait pas tous ensemble en vacances? Moi aussi, j'aimerais voir tante Sarah. Ça fait tellement longtemps depuis sa dernière visite que je me souviens même plus d'elle.

— Mon grand, ça t'dirait, à la place, de m'aider à construire dans le vieux chêne la cabane que tu m'réclames depuis deux étés? Les filles, elles vont passer leurs journées à placoter et à magasiner. Tu risques de trouver le temps long!

Benoît ne répond pas. Tête baissée, il picote à la fourchette sa pointe de tarte aux pacanes à moitié mangée. Magalie souffle à Raymond un merci discret qui reste, lui aussi, sans réponse. Le cliquetis des fourchettes devient assourdissant.

L'arrivée de la gardienne redonne la parole aux muets. Soudain, on manque de temps pour prononcer les mots qui doivent l'être avant la séparation. La voiture est vite chargée.

Du seuil de la porte, Benoît nous regarde partir. Magalie lui envoie baisers et signes de main à travers la vitre de sa portière.

Je me demande qui attendra avec lui l'autobus au bord de la route demain.

CHAPITRE 2

Il en va de la beauté
comme des bavoirs

L ES LUMIÈRES de l'aérogare font scintiller les coulées de pluie sur l'ovale noir du hublot, dont le bord inférieur arrive tout juste à la hauteur de mes yeux. Penchée sur moi, Magalie ajuste ma ceinture de sécurité. Quand la pluie s'est-elle donc mise à tomber?

— Nous allons commencer l'embarquement des autres passagers. Tout va bien ici? s'enquiert une agente de bord, fardée de bleu.

Je m'émerveille de la blondeur de ses cheveux coupés en carré.

— Il serait possible d'avoir un oreiller... (Magalie vérifie la température de mes poings et pieds) et une couverture?

— Certainement.

L'agente revient quelques secondes plus tard. Souriant, elle tend vers nous deux paquets enveloppés de pellicule plastique. L'un contient la couverture; l'autre, un oreiller de farfadet que Benoît pourrait glisser en douce dans son cartable pour siester plus confortablement à son pupitre.

— Vous avez une fillette belle à croquer. Comment s'appelle-t-elle ?

— Corinne.

— Qu'est-ce que je donnerais pour des boucles comme ça! s'exclame-t-elle avec une gentillesse forcée.

Je sens Magalie se crisper. La jeune femme, heureusement, ne pousse pas plus loin le boniment : ses tâches l'appellent ailleurs.

— Faites-moi signe si vous avez besoin de quelque chose durant le vol.

Elle nous laisse pour s'occuper d'autres passagers.

S'étant assurée de mon confort, Magalie voit au sien. Elle détache la veste de tricot nouée autour de ses hanches. Elle en drape son siège. Dans son fourre-tout, elle prend un livre, puis un emballage-coque. Elle en extrait un petit comprimé blanc, l'avale. Elle retourne ensuite l'emballage à sa pochette et range le fourre-tout dans le compartiment au-dessus de nos têtes. Ses gestes sont lents, méthodiques. En fait, elle décélère. Quand elle s'assoit, enfin, on pourrait croire qu'elle ne s'est pas assise depuis des années — depuis le pacte, dirais-je. Ses paumes, et puis ses avant-bras épousent l'accoudoir ; ses reins, le dossier. À l'instant où sa tête rencontre l'accotoir, Magalie pousse un long soupir et ferme momentanément les yeux.

Je nous revois toutes deux à la néonatalogie avant que les médecins ne me libèrent définitivement du caisson de plastique où ils m'ont tant bien que mal acclimatée à ce monde. Durant ses visites quotidiennes, Magalie s'asseyait et me berçait en me pressant contre sa peau toute chaude, ses yeux tournés comme maintenant vers l'intérieur. L'énergie primordiale de la vie chuintait en sourdine sous les battements de son cœur, si près sous mon oreille. Outre ces interludes rassérénants, je me souviens seulement du bruit, constant, des voix et des machines mêlées qui baignait mes jours en ce temps-là. Je pressens ce que dut être le reste à travers les gestes et sous-entendus de mon entourage — mes parents, la docteure, grand-père. Je pressens la bataille héroïque qu'on livra sur ce champ de chair où s'est enracinée ma conscience.

Magalie rouvre les yeux. Le système de sonorisation retransmet la voix du capitaine. Il annonce notre départ imminent et nous souhaite un bon voyage. Que cesse cette turbulence humaine ! Je voudrais dormir, laisser le sommeil emporter l'image de Raymond dans son bon pantalon enlaçant Magalie avec sa tête de fermier résigné et lui murmurant une dernière phrase avant de tourner les talons, sans déposer un seul baiser sur mon front.

Magalie m'emmène au loin, dans une région où il pleut la moitié du temps, paraît-il. Elle m'emmène au loin parce qu'elle est *vidée*. De quoi ? Pourquoi ? Elle n'a pas jugé utile de le préciser. Elle m'emmène au loin, je pense, parce qu'il ne reste plus un barrissement dans son corps tant elle a, depuis moi, barri — d'incrédulité, d'exaspération, de fatigue, d'impuissance. Raymond s'est le plus souvent retrouvé devant son invisible, mais néanmoins redoutable trompe.

— Ça y est, Corinne, nous partons. Dans quelques heures, nous aurons traversé le continent et nous atterrirons à Victoria.

Expectative, gratitude et inquiétude bruissent sous ses mots.

— Tu vas pouvoir faire la connaissance de ta tante, Sarah, ma grande sœur. Tu l'as vue une fois, mais tu ne dois pas t'en souvenir. Tu n'avais pas encore un an.

L'avion vrombit et s'arrache au sol. Pendant quelques minutes, l'oiseau de fer continue à grimper. Je le sens à la pression de mon dos contre le siège. La sensation occulte temporairement toutes les autres, puis s'estompe, remplacée par un début de nausée. Bien vite, de longues traînées de bave mouillent mon menton, mon bavoir et mes manches. Je tente de redresser la tête ; des cheveux collent à mon visage. En pleine distribution de couvertures et d'écouteurs, l'agente de tout à l'heure lance vers moi un regard consterné entre ses «donnes». Elle ne voit plus la beauté. Elle voit son pire cauchemar.

Magalie tire une serviette et un nouveau bavoir de son fourre-tout. Elle a tout vu, tout prévu.

— Tu es fatiguée, constate-t-elle. Nous ne sommes pas sortables, toi et moi ! Je roupillerais bien un bon vingt-quatre ou quarante-huit heures d'affilée… Je n'ai pas fait la grasse matinée en sept ans, tu te rends compte ? Avant de marier ton père, je flânais au lit jusqu'à midi tous les samedis.

Quand personne n'écoute, elle me parle d'égale à égale. Elle n'attend cependant pas de réponse, puisque le pronostic de la docteure exclut la parole et que, la docteure, Magalie croit tout ce qu'elle dit.

Je rêve de lui rappeler qu'il existe un langage au-delà des mots.

— Je vais incliner ton dossier pour que tu puisses dormir un peu. Je demande des écouteurs pour toi aussi, hein ? La musique couvrira le bruit.

Je m'endors au son d'un air de piano et je rêve que je survole une contrée où il ne pleut jamais. Je me réveille au moment où l'avion amorce sa descente. Premières embarquées, dernières sorties.

À la porte, m'attend mon fauteuil roulant garni d'éti-
quettes colorées.

— Vous croyez que nous allons attraper notre corres-
pondance ? demande Magalie à l'agent qui nous accompagne.

— Il va falloir vous dépêcher.

— Je peux courir en poussant. Vous n'avez qu'à nous
ouvrir la voie.

Après une course folle à travers l'aéroport de Vancou-
ver, nous prenons un deuxième avion. Ma tête bourdonne
et j'ai la bouche sèche. Cette fois, je n'ai pas le temps de
dormir : le vol dure à peine une demi-heure.

Nous touchons de nouveau le sol. Dans le terminal,
un préposé nous aide à récupérer nos affaires, puis nous
accompagne au-delà des portes coulissantes qui séparent
les voyageurs des sans-billets. Tante Sarah nous attend de
l'autre côté. Quoique je ne l'aie jamais rencontrée, je la
reconnais au premier coup d'œil : elle a le même corps de
gazelle que Magalie, le même nez fin et allongé. Les deux
sœurs s'enlacent et restent momentanément pendues au
cou l'une de l'autre, insensibles au va-et-vient alentour.

— *Sis'... it's been so long!* dit Sarah dans la langue de
grand-père.

Cette langue, j'en connais les sons et les rythmes.
C'est la langue que Magalie se parle à elle-même quand
elle réfléchit à voix haute devant l'évier de la cuisine ; la
langue de l'enfance, qu'elle ressort quand grand-père Farah
appelle ou nous rend visite, la langue de ses instants de
désemparement.

— *Too long.*

Sarah saisit sa cadette par les épaules et la tient un
moment à bout de bras. Chacune scrute le visage de l'autre,
comme si elle y cherchait le filigrane des événements

survenus pendant leur longue séparation. Leurs yeux s'embuent. Que dire? Existe-t-il des mots capables d'exprimer sans le trahir le fond de leur pensée?

— Nous parlerons demain. Tout ce que je veux pour l'instant, c'est dormir, s'excuse Magalie.

Le trajet en voiture et notre débarquement chez tante Sarah, je n'en garde que de vagues impressions : l'étreinte d'une ceinture, une fraîcheur sur mes joues, un vêtement raclant mes oreilles au passage... Les détails, eux, se perdent dans les brumes du sommeil. Le petit matin me révèle un décor inconnu. Je suis dans une pièce blanche et nue, allongée sur un matelas posé à même le sol. À côté, un lit. En émerge une main que je sais appartenir à Magalie. Elle est l'arbre; je suis l'ombre.

Je voudrais pouvoir attirer son attention, car j'ai les fesses tout trempes. Mon estomac commence aussi à gargouiller. Quelque part, un robinet coule. Tante Sarah est, à l'évidence, déjà levée. Magalie remue. La main disparaît. Un visage somnolent s'arrache à la masse des couvertures et lévite quelques instants au-dessus du mien. «Attention, fragile!» alerte l'étiquette. Voilà à quoi devait ressembler la Magalie qui paressait jusqu'à midi les samedis. J'écarquille les yeux en guise de salutation.

— Prête à te lever?

Aussitôt Magalie en station verticale, son blindage s'active. Lorsqu'elle a vidé sa vessie et changé ma couche, nous descendons au rez-de-chaussée en pyjama. Magalie me tient à bras-le-corps. Moi, le menton rencogné dans l'arrondi de son cou, je regarde défiler le monde à reculons. Le grenat du plancher de faux bois se rapproche de marche en marche et puis quitte mon champ de vision; apparaît alors son envers blanc, le plafond.

J'esquisse ainsi mentalement une première carte des lieux. Je ne vois toujours pas tante Sarah, mais je la devine attablée devant un journal, le nez dans une tasse de café : j'ai entendu les froissements du papier et senti l'arôme terreux du breuvage depuis l'étage.

— *Good morning, ladies!*

J'ai une meilleure vue d'ensemble une fois installée dans mon fauteuil. Sarah est, de fait, assise à la table. Vêtue d'un élégant peignoir vert pomme, elle tient au creux de ses mains une grande tasse. Une mésange ou un moineau s'y baignerait à l'aise.

Le fauteuil, je m'en rends compte, explique en partie notre présence à Victoria. J'ai appris à l'apprécier, même si je préfère encore me tortiller comme un ver sur la pelouse : en sortie, il s'est avéré bien pratique et nettement plus confortable que la poussette de laquelle je débordais. Sauf que Raymond, lui, n'en voulait pas de ce machin roulant. Quand Magalie lui reproche de ne pas accepter mes «limitations avec tout ce que cela suppose», elle inclut dans ce *tout* le fauteuil.

Avant d'en prendre possession, j'ai eu, comme les mariées pour leur robe froufroutante, plusieurs séances d'essayage, suivies de retouches. Raymond s'est renfrogné un peu plus à chacune. Vint le jour de la dernière séance, le jour où Magalie laissa ma poussette modifiée au centre de réadaptation et me ramena à la maison dans mon fauteuil tout neuf. Raymond l'étudia pendant quelques secondes avant de déclarer d'un ton péremptoire :

— Nous voilà étiquetés.

Cela dit, il s'assit à la table, sortit de sa vareuse un livre de poche écorné et se mit à lire. Magalie éclata. L'arrivée de Benoît coupa court au torrent de récriminations. L'amnésie salvatrice du quotidien agit, mais l'orage continua à gronder en sourdine. Maudite comparaison.

Peut-être Raymond aurait-il pu, à la longue, accepter un modèle plus affriolant, par exemple un de ces engins manopropulsés aux lignes minimalistes avec châssis coulé dans un alliage ultraléger. Mon hybride à «propulsion assistée par bipède» me garantit un confort supérieur grâce à un appuie-tête rembourré et un siège inclinable; toutefois, il ne se fond pas aussi facilement dans le sillon de la normalité.

— T'es debout de bonne heure pour une femme qui ne tenait plus sur ses jambes hier, dit Sarah en guise de salutation.

— J'étais réveillée à trois heures! Heureusement, j'ai réussi à me rendormir... Mon horloge interne est encore réglée à l'heure de la ferme.

Sarah repousse sa chaise et se lève.

— Toi sur une ferme... L'idée me traumatise encore, dit-elle en secouant la tête.

Elle s'avance vers sa cadette, l'enlace par-derrière et pose familièrement son menton dans l'arrondi où reposait le mien quelques instants plus tôt.

— Reviens-en! Ça fait tout de même huit ans que j'ai marié Raymond.

Sarah la relâche et réplique :

— Oui, et je comprends toujours pas comment ma petite sœur a pu finir épouse de cultivateur dans un bled perdu au Québec.

— Et moi, je ne comprends pas comment tu as pu finir conseillère en placements! Tu gaspilles ton talent à vendre des régimes d'épargne-retraite.

— Avant de me parler de gaspillage, tu ferais bien de t'examiner dans le miroir...

Sarah secoue la tête :

— Regarde-nous donc! Incapables d'avoir une conversation sans déterrer nos vieilles querelles. Si papa était là, tu sais ce qu'il dirait?

Elles échangent un sourire de connivence et, sur un ton emphatique, reproduisant parfaitement les intonations de grand-père Farah, elles récitent à l'unisson : «Ça briserait le cœur de votre bonne mère de savoir que ses filles, ses rubis africains, s'entredéchirent comme des chacals.»

— Puis il nous enverrait laver les planchers à la brosse et débrancherait la télé pour une semaine! finit Magalie.

Grand-mère, je ne l'ai pas connue. Magalie n'en parle pas. Il y a une photo d'elle à la maison, sur le manteau de la cheminée. Grand-mère a la peau de Raymond.

— Tu as faim?

— Que oui! Mais, si ça ne t'ennuie pas, je vais d'abord faire manger Corinne. Par contre, je prendrais bien un café.

— Ça ne sera pas long. Je nous en fais du frais.

Quelques instants plus tard, Magalie pose devant moi un bol de gruau fumant. Elle y incorpore un filet de lait pour le tempérer, teste la température avec son petit doigt et, ceci fait, vient se camper à califourchon sur une chaise vis-à-vis de la mienne. Il ne manque que son café, Sarah le lui apporte juste au moment où je m'apprête à avaler ma première cuillerée.

— Noir, si ma mémoire est bonne?

— Est-ce qu'il y a une autre façon de boire le café?

Les cuillerées d'amorce me donnent toujours du fil à retordre. Parce que la faim sape ma concentration, je parviens mal à coordonner ma langue et mon œsophage. Pour ce qui est des fonds de bols, Magalie en fait une obsession : je dois les vider à tout prix. (Il lui arrive bien à elle de laisser de la nourriture dans son assiette, mais moi, je n'en ai pas le droit, même quand chaque déglutition me coûte autant qu'à elle dix redressements assis ou une autre de ces contorsions qu'elle exécute en grognant devant le téléviseur plusieurs fois par semaine.) J'anticipe donc l'espace entre ces pôles, dans lequel je pourrai savourer pleinement l'onctuosité chaude et sucrée du mélange. Magalie, bien qu'inflexible, ne s'impatiente jamais. Chaque aller-retour du bol à ma bouche inclut un raclage mentonnier avec la cuiller vide. À intervalle de trois ou quatre, elle marque une pause, porte sa tasse à ses lèvres et boit. Puis le cycle recommence. Tel est le rythme des bons matins à la maison, ceux où il n'y a ni crise ni autobus scolaire. Ne manquent que les dessins animés de Benoît en arrière-plan.

Sarah relance la conversation en s'affairant à monter une copieuse assiette de fruits.

— Tu m'as manqué, petite sœur. Je me suis inquiétée pour toi, tu sais.

— Si tu étais si inquiète, il fallait me visiter plus souvent.

— Le Québec, c'est pas exactement la porte à côté.

— C'est pas non plus le bout du monde. Avec ton salaire, tu dois bien pouvoir te payer un billet d'avion de temps à autre, non?

— Magz, arrête ça.

— Excuse-moi. Je ne me reconnais plus, je ne sais plus me taire. Raymond m'appelle l'Érinye, sa déesse infernale.

La déesse infernale se montre quand on refuse de l'entendre. Ces vieilles querelles entre les sœurs Zarrouk, pourquoi bouillonnent-elles encore sous la surface? Elles doivent être aussi vieilles que moi, sinon plus. Magalie et Sarah continuent de valser de l'amour à la rancœur. Elles m'étourdissent. Vont-elles enlever les bouchons de leurs oreilles et de leur cœur pour bien s'écouter; pour s'écouter totalement, jusqu'à écumer ce qui glougloute dans le creux des mots?

— Je suis là maintenant, Magz. J'en étais pas capable avant, mais je suis là maintenant, et tu peux rester ici aussi longtemps qu'il le faudra pour te requinquer. Qu'est-ce que tu veux de plus?

Sarah dépose l'assiette de fruits préparés sur la table. Elle amorce un demi-tour, mais fige quand son regard capte la réalité visqueuse de mon repas. Elle réprime un mouvement de recul. Magalie n'en a pas conscience parce qu'elle me fait toujours face et lui tourne par conséquent le dos.

— Je l'imaginais pas aussi...

Sarah s'attarde sur la dernière syllabe puis suspend sa phrase, incapable, par manque de vocabulaire ou pour quelque autre raison, de la terminer. Magalie pivote à demi vers elle. Sur le front de ma tante, l'étonnement a cédé la place à une expression nouvelle, difficile à classer. Je me sens piétinée par un million de cauchemars debout et refus de baisers.

— Handicapée? termine Magalie une octave en dessous de son ton normal.

Handicapée. Magalie n'a jamais utilisé le mot avant ce jour, jamais à la portée de mes oreilles du moins.

— Quand tu m'as annoncé au téléphone le diagnostic de Corinne, je me suis renseignée. Mais j'étais loin de m'attendre à...

Sarah allonge une main dans ma direction et l'agite, sa paume tournée vers le plafond.

— À quoi? À quoi t'attendais-tu, Sarah? Tu croyais qu'à défaut de pouvoir jouer à saute-mouton, elle joue-rait du piano comme un jeune Mozart? Tu l'imaginais traverser le Canada «d'un océan à l'autre» dans le but de recueillir des fonds pour une fondation à son nom?

— Non, mais... Bon sang! Un collègue de travail s'est vanté que son cousin finissait en ce moment un doctorat en droit, et le gars a la même maudite affaire.

Magalie se retourne vers moi et me présente une nouvelle cuillerée. Sarah effectue quelques pas désordonnés avant de venir appuyer son dos contre le mur tout près de nous. Elle renverse légèrement la tête.

— Je me sens vraiment imbécile. Et dire que lorsque j'appelais, je monopolisais la conversation avec mes «problèmes» : mon patron attardé, mes amants trop ceci ou pas assez cela... Tu devais avoir envie de m'envoyer chier?

Magalie hausse les épaules.

— Ça me changeait de mes problèmes à moi.

— Comment tu fais?

— Prendre soin de Corinne, c'est moins difficile que tu le crois. En fait, c'est comme prendre soin d'un bébé, un bébé qui ne me réveille jamais la nuit et qui est toujours de bonne humeur.

— Un bébé dont tu t'occuperas encore à soixante-cinq ans, tu y as pensé?

— Bien sûr... Bien sûr que j'y ai pensé. Il se passe rarement une journée sans que j'y pense, mais je tâche de ramener le plus vite possible mon attention sur l'immédiat. Je me concentre sur les gestes que je peux poser, ici et maintenant, pour rendre la vie de Corinne aussi agréable que possible. À quoi bon m'en faire pour ce qui sera peut-être, certainement ou inévitablement dans quinze, vingt, trente ans d'ici? Qui sait de toute façon si Corinne se rendra jusque-là.

— La paralysie cérébrale tue pas, à ce que je sache.

— Non. Mais les complications, si. Elle est fragile, ma Corinne. Cet hiver, elle a attrapé une vilaine grippe qui a dégénéré en pneumonie. La pauvre ! Elle nageait dans les sécrétions, mais n'arrivait pas à tousser pour s'en débarrasser.

Sur le visage de Magalie, l'hiver allonge à nouveau ses ombres morbides.

Le temps n'est pas linéaire, contrairement à ce que présument la plupart des adultes. Un mouvement de la pensée, il n'en faut pas plus pour remonter son cours. Nous roulons dans la nuit, moi râlant et grelottant sous mon tas de couvertures ; elle, penchée sur le volant, yeux plissés pour distinguer la route à travers le blizzard. Cependant, à peine absentées du présent, nous y revenons.

Magalie poursuit :

— Avant longtemps, il faudra qu'elle passe au bistouri pour corriger sa posture. Plusieurs chirurgies pourraient même être nécessaires.

— C'est à virer folle !

— Je ne cherche plus à savoir si je suis encore saine d'esprit ! Je pense que tous les parents ont des moments de folie. La raison s'effiloche un peu plus chaque nuit qu'on veille un enfant. Quand Corinne était à la néonatalogie, j'avais tellement peur qu'elle ne survive pas. C'était mon bébé. Un morceau de moi. Il m'importait peu qu'elle soit parfaite, je voulais juste qu'elle vive. Je ne l'avais tout de même pas portée pendant tous ces mois pour la regarder mourir ! Je me suis blâmée. Oh ! tu n'as pas idée à quel point je me suis blâmée... Ma gynéco m'a assurée que je n'y étais pour rien. Je continue de croire que j'ai dû faire quelque chose de mal ou, à tout le moins, que les choses ne seraient pas ce qu'elles sont si j'avais agi différemment. C'est con, je sais.

— Con à la puissance dix! Les bas-fonds de la connerie! Les choses sont ce qu'elles devaient être.

— Enceinte de Benoît, j'ai soulevé des boîtes, je me suis bourrée de croustilles et de crème glacée, j'ai fait pratiquement tout ce que les manuels pour futures mamans déconseillent. D'ailleurs, c'est seulement vers mon sixième mois que j'ai commencé à me documenter. Cela n'a pas empêché mon garçon de naître avec tous les bons morceaux, sans anicroche. Seulement, quand Raymond et moi avons décidé d'avoir un autre enfant, je me suis dit que je ne jouerais pas deux fois à la roulette russe. J'ai surveillé mon apport en fer et en calcium, j'ai mangé beaucoup de fruits et légumes, j'ai tâché de me ménager, et puis…

— Et puis la vie est une salope! Toi et moi, on l'a appris assez tôt, non? Y'a pas de logique. Des abrutis qui boivent et s'en mettent plein les poches meurent de leur belle mort tout ratatinés, tandis que de bonnes gens dévoués comme notre mère crèvent d'une horrible maladie avant d'avoir fini d'élever leurs enfants. Il faut pas te blâmer, et il faut pas chercher à comprendre.

— C'est plus facile à dire qu'à faire.

Facile qualifie une réalité sans blizzard ni fauteuil roulant.

Facile explique la différence entre Benoît et moi.

Facile, si je comprends bien Sarah, est l'idéal auquel chacune devrait aspirer. Son contraire nous a menées ici.

Et pourtant, mon bras levé avec difficulté réjouit cent fois plus Magalie que les constructions bâties et démolies en toute facilité par mon frère.

Ma tante veut ramener la facilité dans la vie de Magalie.

— Prends pas ça mal, mais tu as pensé à la placer?

CHAPITRE 3

Tout ce qui vole n'a pas deux ailes

I CI FINIT la terre.
Magalie dépose sur le sol une vieille couverture de laine
carreautée rouge et noire. Elle s'y assoit, puis m'attire à elle,
m'offrant son propre corps en guise de dossier. Ses bras et
ses jambes m'encerclent. Cachées du reste du monde par
les hautes herbes, nous sondons l'invisible horizon. Devant
nous, les nuages et l'océan se fondent en un voile gris perle.
   Le vent s'engouffre en moi. Il pénètre mon nez, ma
bouche, mes oreilles ; il pique mes yeux et dépose au fond
de ma gorge un goût de sel et d'algues.
   J'ai perdu le compte des jours depuis notre arrivée sur
cette île à l'extrême ouest du continent. Je sais qu'il s'est
écoulé plusieurs mois. Le vent a fraîchi et amène désor-
mais régulièrement la pluie. Un deuxième lit a été acheté
et assemblé pour la chambre blanche que je partage avec
Magalie dans la maison de sa sœur. Des édredons coordon-
nés sont venus les recouvrir. Une paire de cadres a trouvé
place au mur. Le provisoire dure, perdure et se transfigure,
empêtré dans les couvertures où Magalie a redécouvert la

volupté des grasses matinées et semble parfois résolue à prendre résidence permanente. Elle continue de maudire son vide tout en le vénérant. Je le soupèse à l'abîme dans ses yeux, à la lourdeur de ses gestes, à l'absence de plaisir quand elle mange, aux cigarettes grillées à la chaîne avec l'encouragement de sa sœur (à qui elle reprochait auparavant l'habitude). Notre séjour ici n'a pas rempli son vide. Au contraire, nourri par une attention constante, il a grandi, jusqu'à tout suffoquer. Elle parvient difficilement à s'occuper de moi, répète-t-elle dans le téléphone avec des inflexions contrites. Comment veillerait-elle au bien-être d'une maisonnée comble? Elle semble persuadée qu'un beau matin, elle s'éveillera métamorphosée en vermine, spectacle qu'elle veut éviter à Benoît.

Sarah s'accommode tant bien que mal de notre présence prolongée. Et même si elle reste persuadée que ma place est ailleurs, entre les mains d'un personnel équitablement rémunéré pour sa peine, elle se garde d'aborder à nouveau le sujet. En effet, Magalie lui a déjà asséné une semonce barrissante : je suis son bébé et, besoins spéciaux ou pas, une vraie mère n'abandonne pas bêtement son enfant au bord du chemin comme un bidon rouillé.

Mon frère ne se bidonne sûrement pas d'attendre seul l'autobus scolaire et doit trouver chèrement payée sa maison dans le vieux chêne. Nous lui téléphonons tous les jours en fin d'après-midi. Il se prépare alors à se coucher.

Comme si la liste de nos différences n'était pas déjà assez longue, il a fallu y ajouter le décalage horaire.

Sans Benoît, je n'ai ni jambes ni mains. Car où courait mon frère, je courais aussi grâce aux histoires qu'il rapportait plus tard à la maison; et les objets qu'il brandissait devant mes yeux, j'en appréhendais le poids et la texture.

Sans Benoît, le monde a rétréci, ramené à ce que je peux en voir et flairer.

Bien sûr, mon frère continue d'implorer notre retour, mais avec une insistance décroissante à en juger par les réponses maternelles. Raymond a, lui aussi, insisté pendant un temps. Magalie l'a rabroué en invoquant un besoin d'espace pour réfléchir, contrer l'épuisement, esquiver la dépression.

— Corinne, tu trembles?

Comme il est doux et invitant, ce gris, et comme il paraît proche soudain. Il suffirait de si peu pour que je m'y dissolve. Au fond, Sarah a peut-être raison. Peut-être ma place est-elle ailleurs. Elle a prononcé le mot séparation. Magalie a répondu avec l'indolence d'un hippopotame au bain que les parents d'enfants handicapés avaient un taux de divorce supérieur à la moyenne. Je pleus sur son mariage. J'irai pleuvoir aux confins des nues, où les gouttes d'eau éclatent en arcs-en-ciel. En moi, gronde une insondable nostalgie. J'ai souvenance d'un lever de soleil sur le Pacifique, de fleurs translucides et de gambades dans des brises miellées. Je ne les ai pas imaginés.

Sous moi, une vedette coupe ses moteurs. Comment suis-je arrivée ici? Y suis-je vraiment? Un instant j'étais sur la falaise, l'autre je fendais les nuages. À quelque distance, un giclement blanc fait momentanément tache sur l'immensité ardoise de l'océan. Je distingue bientôt une nageoire noire, puis deux et trois. C'est un clan d'épaulards. Leurs corps lisses, dans un mouvement d'ondulation, émergent et replongent en écho des vagues. Ils multiplient les bonds. La joie émane de leurs ébats comme la lumière, des étoiles. Me laisseraient-ils les suivre? Leur trajectoire croise celle du bateau. Ils glissent sous la coque. Exhibitionniste, l'un d'eux se retourne, donnant brièvement à voir son ventre blanc aux passagers penchés, bouche bée, par-dessus la rambarde.

— Non, non, non Corinne… Ne me commence pas ça. Pas ici. Pas maintenant.

La voix me parvient distordue, comme si l'atmosphère s'était liquéfiée et que les ondes sonores devaient traverser plusieurs mètres d'eau pour arriver jusqu'à mes oreilles.

Désincarnée.

Moi, nourrie par l'énergie brute et massive de l'océan, je flotte, je vole.

Je vole? Oui!

Mon altitude augmente de seconde en seconde. Voilà que l'aura dorée du soleil baigne tout le paysage. Le temps ralentit, jusqu'à s'arrêter presque. Dans ses interstices, je recouvre la mémoire de l'éternel présent. Même si trop étriquée pour l'intérioriser tant que cette voix me garde amarrée au corps là-bas, dans les hautes herbes, j'en discerne assez.

Je suis liée.

J'ai accepté le pacte. Il me faut donc achever ce qui a été commencé.

Une fois, déjà, j'ai voulu m'en aller ou, plutôt, rentrer. Je croyais m'être égarée. Les supplices de Magalie aux médecins me ramenèrent.

— Tu m'as flanqué une de ces trouilles! Je t'ai sentie partir.

Je focalise sur elle mon attention, l'enveloppe entière dans le regard de l'œil inaperçu entre mes yeux, rassurant : chaque chose en son temps et lieu. Ce qu'elle a pris pour un départ n'était qu'une brève envolée.

Je suis de retour.

— Comprends-tu ce que je dis? Quand tu me regardes avec ces yeux-là, j'ai l'impression que tu vois à travers moi.

Saurais-tu quelque chose que je ne sais pas? En saurais-tu plus que moi?

Je sens ses mains fébriles sous ma nuque. Elle éponge la bave dans mon cou et mes boucles. L'air autour de nous pétille d'infimes et fugaces lueurs blanches.

— Tu te souviens du supposé chamane qui nous a talonnées sur la rue Government? Le fou ivre. Il prétendait que dans ton corps brûle l'âme d'une vieille sage et que, de nous deux, c'est moi l'enfant. Un fou. Il avait raison sur au moins un point... Pauvre Corinne, c'est ma faute si... Je voulais te donner la vie, la terre, la lune! Mais je t'ai condamnée.

Des larmes roulent de ses joues aux miennes. Promptement, elle saisit un coin de sa veste et les essuie.

— Par-dessus le marché, j'ai l'irresponsabilité de t'emmener ici. Et je traîne au lit tous les matins comme une gamine en vacances pendant que, toi, tu marines dans ta couche : tes fesses ont la couleur des cerises et sont aussi raboteuses que l'écorce d'une orange. S'il fallait que ta docteure te voie dans cet état!

Comprendrait-elle la joie du vol non propulsé? Je lui lance mon plus beau sourire : elle ne doit pas s'en faire puisque, moi, j'aime de toute façon les oranges et les cerises. Les épaulards épousent le mouvement des vagues parce qu'ils savent qu'il est celui de la vie incommensurable et toute-puissante et qu'on ne va pas à l'encontre sans encourir douleur ou perte, ce qui revient au même.

— Tu reprends des couleurs, dit-elle en posant sa paume ouverte sur ma poitrine afin de vérifier ma respiration. Tu te sens mieux, hein? Prête à bouger? J'ai assez vu cette falaise. Et je veux téléphoner à ta docteure avant la fermeture des bureaux à Montréal.

En un rien de temps, je retrouve mon fauteuil. Magalie glisse *subito presto* la couverture roulée dans le fourre-tout pendu aux poignées.

— En route, lance-t-elle, et elle se met à pousser.

Nous avançons rapidement.

En plusieurs endroits, des arbres courbés par les vents du large transforment en tunnel vert le sentier asphalté qui couronne la falaise. Au sortir d'un tel tunnel, nous croisons une maman penchée sur un landau. À l'évidence, elle n'apprécie pas le ton de l'occupant : vivement, elle enfonce dans sa bouche indomptée une sucette bleue pour le faire taire. Avant qu'on écoute les enfants, il faut qu'ils maîtrisent le langage des adultes ; un langage qui encarcane les cervelles et fait sonner comme folichonneries les vérités du genre « les pensées négatives sont des chauves-souris invisibles qui grignotent la lumière ».

Puisque je n'ai jamais babillé, Magalie ne craint pas ce qui pourrait sortir de ma bouche. Elle a omis le domptage, tout comme la censure. De fait, elle a pris l'habitude de se confesser à moi de ce qu'elle n'ose avouer à personne d'autre : que le ragoût de boulettes de grand-mère Colette la dégoûte ; qu'elle reste pleine de rancœur envers Sarah, même si elle sacrifierait volontiers un de ses propres reins pour lui sauver la vie ; et, encore, qu'elle lutte régulièrement contre le désir de découper au hachoir les innocents (parmi eux des membres de la famille) qui disent, supposément pour la réconforter, que la science découvrira un jour un moyen de me réparer.

Pour cette raison, je suis restée moi, à peu près la même qu'à mon expulsion de l'utérus maternel.

Je m'étais cependant engluée dans les émotions de Magalie, au point d'oublier mes ailes.

CHAPITRE 4

Les abîmes point ne se comblent, mais s'enjambent

G RAND-PÈRE FARAH n'aime guère la campagne mon-térégienne, trop fade à son goût. Il nous a quand même visités, car il fallait bien que quelqu'un explique à Benoît ce qui le distinguait des autres Larose. Notre excursion au zoo s'inscrivait dans ce qu'il appelle notre éducation africaine. J'y rencontrai ma première, l'unique vraie lionne de ma vie. Elle m'impressionna d'autant que grand-père raconta avec moult détails son face-à-face avec une de ses semblables en pleine nature, à l'époque où son travail de camionneur le menait souvent à travers les plaines kényennes, avant qu'il ne rencontre grand-mère Brunehilde.

J'admirai de loin le fauve dans sa fausse savane chauffée à blanc par un soleil étonnamment ardent pour la saison. Magalie venait de tourner la cinquième page du calendrier maintenu au réfrigérateur familial par des aimants. De part et d'autre, des élèves en sortie pédagogique couinaient et sautillaient, excités de passer dehors un après-midi de semaine. La lionne, oreilles rabattues, arpentait un rocher plat.

Dans la maison de tante Sarah, Magalie arpente notre chambre blanche avec la même intensité contrariée; il y a une lourdeur dans ses pas, mais ses pieds chaussés de pantoufles en tricot ne font aucun bruit sur le plancher.

— Pourquoi tu ne m'as pas appelée avant?

De sa main droite, elle presse le téléphone sans-fil contre son oreille. Qui donc est à l'autre bout du fil? Son visage est pâle, presque gris.

— Et quand va-t-on connaître le résultat des tests? Quoi! Mais, c'est ridicule!

Je suis lourde de sommeil et de rêves. Dans mes yeux miroite le paysage d'un atoll entouré d'eaux émeraude, où s'élève un fabuleux palais gardé par des lions d'or. Aux côtés d'une princesse à la peau cuivrée, j'étudie un ballet plusieurs fois millénaire. Mes doigts apprennent à converser avec l'air; mes pieds, à écouter le sol.

J'ai vaguement conscience que Magalie rassemble en vitesse nos affaires. Nous voilà habillées, prêtes à partir. Magalie me prend à califourchon sur ses hanches pour descendre l'escalier. Le ballet devient valse. Je fredonne avec l'orchestre. Dans cet univers qu'elle appelle réel, le son se mue en un gargouillement guttural.

— Ah! quelque chose de nouveau? s'étonne ma partenaire. C'est ta façon de dire au revoir à ta tante?

Sarah nous conduit à l'aéroport. Nous quittons Victoria comme nous y étions arrivées: dans l'obscurité.

— Merci pour tout.

— Tu m'appelles en arrivant pour me dire ce qui se passe avec ton Benoît, promis?

— Promis.

Personne ne nous attend quand notre avion se pose à destination. Magalie loue une voiture. Elle embarque seule nos bagages sur le siège arrière et mon fauteuil, dans le coffre.

Le soleil de l'après-midi brille timidement entre les branches des arbres auxquelles s'accrochent encore quelques feuilles ocre et cramoisies. Nous roulons en silence.

Nous sommes revenues pour Benoît. Quelque chose est arrivé à Benoît, mais quoi au juste? Magalie se tait. Elle ne me regarde pas. Elle fixe la route, le dos raide. Elle grille sans les voir deux feux rouges, puis freine juste à temps pour épargner les orteils d'un costaud coiffé en porc-épic. M. Piquant saisit l'occasion pour vérifier la solidité du capot, sur lequel il frappe à deux mains avant de donner vers nous du menton en guise de salutation.

La route me donne la nausée, sauf quand je réussis à m'assoupir. Ce corps n'a pas été modelé pour les voyages. Estomac, calme-toi! J'essaie de détourner mes pensées de la houle qui m'agite en dedans. Je repense à M. Piquant, j'essaie de visualiser les détails de son long manteau orné de rivets, j'entends Magalie lui répondre à mi-voix : «Phoque, phoque, phoque, phoque!» Ils sont mignons les phoques, surtout les bébés tout blancs qu'on appelle blanchons. Le phoque qui s'ennuie dans la chanson, lui, est noir. J'aime quand Raymond ressort son vieux vinyle pour l'écouter.

Je me demande combien de temps fonctionnera la diversion, car il reste encore un bon bout de chemin avant la maison. Mais voilà que Magalie ralentit. Elle gare la voiture dans un stationnement entouré d'immeubles bas et laids. Nous pénétrons peu après dans un de ces immeubles — un hôpital à l'évidence, mais pas celui où travaille ma docteure.

— La chambre de Benoît Larose s'il vous plaît? Je suis sa mère.

Le renseignement obtenu, nous nous dirigeons vers les ascenseurs. Avant de monter, Magalie jette son paquet de cigarettes à la poubelle.

Dans le clair-obscur d'une petite chambre, peuplée d'ombres et de bips rythmiques, je retrouve mon frère. Ce qu'il en reste. Son petit corps repose gris et immobile sur un lit blanc sans peluches ni courtepointe. Sa tête est emprisonnée dans un lasso de plastique, accroché sous son nez, duquel partent deux embouts plantés dans ses narines. Un autre tube, fixé à sa main, court jusqu'à un sac de plastique long et étroit empli d'un liquide transparent, suspendu au sommet d'une perche de métal. La fièvre fait luire son front. Ses cheveux collent à ses tempes. Magalie s'approche lentement. Elle n'ose pas le toucher. Elle échange un regard silencieux avec Raymond, assis de l'autre côté de la chambre. Ils sont unis par ce lit et pleins d'une même angoisse.

Je veux partir d'ici. Mon cœur s'affole. Si on me prenait aussi au lasso? Mon frère est le patient aujourd'hui; mais, sait-on jamais, une infirmière ou un docteur pourrait décider qu'il faut me séquestrer.

Raymond se lève et, en quelques enjambées, franchit l'espace qui le sépare de Magalie. Il lui ouvre ses bras. Longuement, tendrement ils se serrent. Entre leurs corps enlacés fondent les mois.

Lorsqu'ils relâchent leur étreinte, c'est Magalie qui, la première, ouvre la bouche. Elle veut des détails sur l'état de Benoît.

— On attend toujours les résultats de l'analyse. L'hypothèse du streptocoque reste la plus plausible. Ils ont commencé les antibiotiques.

— Combien de temps ça peut prendre, une analyse ?

— Deux jours.

— Mais, c'est de la torture !

Quel mal ronge mon frère ? Raymond ne l'aurait pas conduit à l'hôpital pour un petit bobo. Il se méfie autant sinon plus que moi des médecins. Magalie raconte qu'il lui a déjà demandé de lui recoudre la main pour s'épargner une visite à la clinique. Elle l'aurait finalement raisonné avec des histoires de puanteur dévorante, rapportées de la brousse par grand-mère Brunehilde, l'infirmière voyageuse.

Les voix familières percent le sommeil de Benoît. Il remue, entrouvre les yeux et, avec effort, bredouille :

— Maman ?

Dans ce mot à peine audible, mon frère enchâsse toutes ses interrogations *(je ne rêve pas, tu es bien là ?)* et ses émotions du moment *(enfin ! je t'ai attendue si longtemps)*.

— Chhhhh… Je suis là. Maman est là.

Magalie caresse la tête de son garçon avec une infinie douceur.

— Maman ne partira plus.

Benoît referme les yeux, rassuré. Magalie tourne la tête vers Raymond et pose sur lui un regard pénétrant qui renferme à peu de chose près la même promesse. Raymond inspire comme s'il allait parler, mais, tout bien considéré, il se contente de hocher la tête. Ce n'est ni le moment ni le lieu pour s'expliquer. Ils attendront pour cela d'être seuls, j'imagine.

Magalie et Raymond troquent leur charge : lui, me ramène à la maison ; tandis qu'elle prend la garde au chevet du malade. Il suffit de quelques jours pour que mon frère, grâce à l'amour maternel, recouvre la santé et que nous soyons de nouveau tous réunis sous le même toit, une famille.

On ne parle plus de Victoria.

Quand tombe la première neige, la vie a repris son cours normal sur la ferme.

CHAPITRE 5

Le réel s'apprête comme la dinde

APPUYÉ AU portail de l'étable, il observe. Je reconnais dans l'ombre sa silhouette de jeune bouleau. Il reluque Magalie, qui s'active autour des rosiers chétifs. Vêtue d'un jean élimé et d'un vieux tee-shirt rock, elle arrache à mains nues les herbacées qui menacent d'envahir l'embryon de sa roseraie, projetée sur un coin de comptoir dans la blancheur hivernale, pendant que Benoît était à l'école, et plantée dès les premières tiédeurs printanières. Magalie a épluché quantité de guides, de magazines et de catalogues horticoles. Elle a dessiné des plans. Sa roseraie éblouira. On la citera en exemple dans le mensuel *Au jardin*.

Je supervise depuis mon fauteuil, à l'abri d'un parasol.

De temps en temps, Magalie se redresse et étudie son œuvre. Mentalement, elle se représente sans doute une arche ou un banc à venir, imagine l'effet que produira tel spécimen à maturité. Neuf générations de Larose ont cultivé cette terre, sans jamais en fleurir un coin, exception faite des lilas qui encadrent la porte d'entrée et qui se couvrent de fleurettes odorantes deux semaines par année. Grand-père Bertrand a jadis fait ses devoirs à la table devenue la nôtre. Le lit conjugal en laiton, si élégant avec ses boules de céramique, faisait partie de la dot de Gertrude Beauregard, mon arrière-grand-mère. Cette roseraie en devenir, elle témoignera du passage de Magalie longtemps après que nos corps seront retournés à la terre. Je l'espère.

L'homme-bouleau avance vers nous, arqué, portant sur l'une de ses épaules une poche en plastique. Il dépose sa charge à quelques pas, puis franchit en deux enjambées la distance qui le sépare encore de cette femme que tout son corps appelle.

— V'là l'engrais que tu voulais, dit-il.

Il effleure au passage la peau dénudée à l'échancrure du cou délicieusement fin, où je le soupçonne de vouloir planter avec impudence ses lèvres comme le premier astronaute ayant marché sur la lune a planté sur l'astre le drapeau de sa nation, proclamant accomplir là un grand pas pour l'humanité. Au lieu de l'habit blanc et du casque intégral, il porte une chemise à carreaux, un jean crasseux et des bottes de travail à demi lacées.

Magalie a un léger mouvement de recul.

— On l'a livré tantôt avec la commande de madriers.

— Merci. C'est gentil d'avoir pris le temps de me l'apporter. Je sais à quel point vous êtes occupés ces jours-ci.

— Ça s'en vient bien, commente-t-il en embrassant d'un geste l'espace de la roseraie. Jouer dans la terre, c'est une façon comme une autre de tromper le désir, je suppose.

— Pierre, change de disque.

— On peut même plus se parler ?

— Ce n'est pas ce que j'ai dit. Bien sûr qu'on peut se parler.

— On dirait pas, avec toutes les simagrées que tu fais pour m'éviter.

— J'ai pensé que la coupure serait plus facile si j'étais pas toujours dans ta face. Comme on dit, inutile de tenter le diable.

Magalie a férocement repris le désherbage. Il plie les genoux, jambes en ciseaux. Son corps implore une grâce mystérieuse, que Magalie seule peut apparemment lui accorder.

— T'arrêtes pas de me parler de coupure, mais pourquoi couper? C'était bon ce qu'on avait, non? P'is on faisait pas de mal à personne.

— Personne? Mon mari et ta femme, c'est personne? *For God's sake!* Combien de fois je vais devoir te le répéter, Pierre? C'est fini. Il ne peut rien y avoir de plus entre nous.

— Ma femme, je l'adore, mais je peux plus la toucher, tu le sais. Un homme a des besoins. Qu'est-ce que je suis censé...

— Il faudra que tu trouves une autre façon de les combler, coupe-t-elle.

— Et tes besoins à toi?

— *It's over*, Pierre. Fini. Mes besoins, ils n'entrent même plus dans l'équation. J'ai fait mes choix, je les assume maintenant.

Il y a certaines possibilités que je m'interdis d'envisager, par exemple que je pourrais choisir de gambader dans les prés comme la Clara miraculée de *Heidi*. Magalie doit-elle aussi nier certaines possibilités pour se protéger d'elle-même ou se retenir de sauter de nouveau dans un avion en partance pour le Pacifique? Elle se lève, essuie ses mains sur son jean, puis conclut sèchement :

— J'ai une famille qui compte sur moi, une famille que, dans mon égoïsme, j'ai failli détruire. Raymond et moi, nous avons eu nos problèmes, d'accord. Nous en avons encore, mais c'est pas en couchant avec toi que je vais sauver mon mariage. Si t'es pas capable d'accepter ça, je...

Pierre s'est relevé et, à son tour, l'interrompt.

— Correct, correct! J'ai compris. Mais si tu changes d'idée, moi, ma porte restera ouverte.

Pierre se retire d'un pas léger en sifflotant, comme si rien ne s'était passé. Magalie reste debout un instant à le regarder, songeuse, puis elle reprend de plus belle l'arrachage des mauvaises herbes.

Je considère mes doigts raides, leurs phalangettes repliées. Je les porte à ma bouche. Sous le bout de mon index et de mon majeur, je peux sentir le bord tranchant de mes incisives et, plus loin, la surface inégale des molaires. Il me vient l'idée de serrer un peu les dents, par curiosité, parce que je n'ai encore jamais essayé, parce que j'exerce sur mes mâchoires une maîtrise presque parfaite et parce que, ainsi que le dit souvent Raymond : ce qui ne sert se perd. Je mordille, donc, avec délibération et appétit, tout en suivant distraitement des yeux les gestes vifs et répétitifs de Magalie. Celle-ci a vite fait de repérer mon manège.

— Corinne! Que fais-tu là?

Elle bondit sur ses pieds et vient vers moi, mais je retire mes doigts de ma bouche avant qu'elle ne les atteigne. Dès qu'elle retourne à ses mauvaises herbes, je recommence le mordillage.

— Corinne, arrête!

Elle feint de se redresser et surprend alors sur mon visage un large sourire.

— Tu trouves ça drôle, hein? ronchonne-t-elle.

À l'étincelle dans son regard, je sais qu'elle est plus étonnée que fâchée. Elle vient vers moi, inspecte mes doigts.

— Regarde! dit-elle en promenant devant mon visage les doigts rougis de ma main gauche. Que vont penser tes grands-parents quand ils vont voir ça, tout à l'heure?

Voilà pourquoi elle a roulé des tartes ce matin. Magalie se donne toujours beaucoup de mal quand Bertrand et Colette Larose nous rendent visite; et elle semble aujourd'hui, plus que jamais, déterminée à faire bonne impression. Elle n'a toutefois pas fini d'épandre l'engrais quand ils remontent l'allée privée de la ferme dans leur berline sable.

— *Shit!*

Ils sont en avance, et elle est couverte de terre. Elle secoue, en même temps que la terre de son pantalon, l'expression de désenchantement sur son visage. À la place, elle y placarde un simulacre de jovialité.

Colette descend la première de la voiture, puis en fait le tour afin d'aider son mari à sortir. Grand-père Bertrand se meut lentement, difficilement depuis l'accident vasculaire cérébral qui l'a transformé en babouin grincheux — hémiplégique, serait le mot juste d'après Raymond. Il refuse pourtant d'utiliser un déambulateur. Colette lui tend sa canne, récupérée au passage sur la banquette arrière, et s'offre comme second point d'appui pour la délicate manœuvre.

Magalie me laisse sous mon parasol pour aller vers eux. Elle les embrasse. Les femmes échangent les politesses d'usage.

— Bon, où est-ce qu'il est, mon fils? demande Bertrand. Je veux voir ce qu'il fait de ma terre.

Colette le gronde doucement, comme un enfant. Il y a longtemps qu'elle ne prend plus au sérieux les fadaises de son mari ou, plutôt, qu'elle a appris à les décoder.

— Bertrand! Tu pourrais quand même prendre le temps de dire bonjour?

— J'ai dit bonjour! se défend-il.

Raymond arrive sur ces entrefaites. Magalie en profite pour s'esquiver, sous prétexte de s'assurer de mon confort. Colette lui emboîte le pas et vient m'embrasser, tandis que les hommes partent chevaucher les champs en moto-quad, traçant à leur suite un sillage de bruit et de gaz d'échappement.

Quand l'engin est assez loin pour que l'on puisse de nouveau s'entendre parler sans crier, Colette s'informe de mon frère.

— Il est parti jouer chez les voisins. Vous savez comment sont les garçons à cet âge-là!

— Oh, que oui! Ils tiennent jamais en place bien long-temps... Il va bien, mon petit-fils?

— Oui, très bien, et il a encore grandi!

— Ça pousse comme du chiendent à cet âge-là. Mes garçons...

Inutile d'écouter la suite, je la connais par cœur; elles caquètent en perroquets la même conversation d'une visite à l'autre, se contentant de modifier un détail ici et là. Mais, bien sûr, c'est moi l'attardée. La répétition leur évite sans doute l'effort de l'écoute; surtout, elle réduit le risque d'une confrontation.

— Dites Colette, ça ne vous ennuie pas si je finis d'engraisser mes rosiers? J'en ai pour quelques minutes seulement.

— Faut pas te gêner!

Magalie se remet au travail. Colette l'observe d'un air songeur.

— Peux-tu croire qu'en quarante ans il ne m'est jamais venu à l'esprit d'aménager un parterre? C'est pourtant pas l'espace qui manque... Ouais, j'aime ça, ton idée des rosiers. Je dois dire... surtout, ne prends pas ça mal...

Grand-mère oserait-elle sortir des banalités ? Elle poursuit :

— J'aurais jamais cru te voir un jour travailler la terre.

— Ma mère adorait les roses.

Magalie s'arrête. Perdue dans les sinuosités du passé, elle esquisse un demi-sourire, puis reprend :

— Elle chantonnait toujours quand elle travaillait au jardin, des chansons en français : Piaf, Adamo et des vieilles chansons rock'n'roll. En été, les samedis, elle me laissait cueillir moi-même quelques fleurs pour décorer le buffet de la salle à manger après le ménage.

— La photo d'elle sur la cheminée, c'est là qu'elle a été prise, dans votre jardin à Toronto ?

— Oui.

— J'imaginais que c'était au jardin botanique ou à un endroit du genre ! Probablement parce que moi, j'ai jamais planté autre chose que des tomates, des petites fèves et des carottes !

Colette s'empare de la serfouette afin d'étendre l'engrais que Magalie verse directement de la poche autour des plants.

— Je suis contente que tu t'investisses à ta façon dans la ferme, que tu... comment est-ce que je dirais... que tu t'enracines, dit-elle tout en continuant à manier la serfouette. Excuse mon franc-parler, mais je t'ai trouvée bien égoïste de laisser ton fils et ton mari se morfondre pendant que tu te «ressourçais» en Colombie-Britannique. J'étais convaincue que tu ne rentrerais jamais.

Magalie pose le sac et s'immobilise. Colette continue son laïus :

— Bien sûr, j'ai rien dit. Ça me regardait pas. Mais c'est pas parce qu'on dit rien qu'on approuve. Qu'est-ce que tu veux, moi, je suis de la vieille école, celle du sacrifice. J'ai été élevée par les bonnes sœurs, à une époque où se ressourcer voulait dire faire une neuvaine à la Sainte Vierge ou à sainte Anne. Partir, c'était inconcevable. Du moins pour une femme...

Colette, à son tour, s'immobilise. Magalie affiche un visage impassible. Toutes deux se regardent droit dans les yeux.

— Je me suis demandé s'il faudrait pas aller te chercher là-bas! Par bonheur, tu as fini par te rappeler où était ta place, dit Colette avec une fermeté toute maternelle.

— Ma place... C'est Benoît, mon petit chou, qui m'a fait comprendre où était ma place. Quand je l'ai vu sur son lit d'hôpital, j'ai senti pour la première fois de ma vie que j'étais exactement là où je devais être.

Magalie hésite, détourne un instant la tête avant de continuer.

— Vous savez, la vallée du Richelieu n'est pas une terre très accueillante pour les gens comme moi. Les descendants des Patriotes ont la mémoire longue. Ils continuent à se méfier des étrangers, en particulier de ceux qui parlent anglais. J'ai bien pensé rester à Victoria avec ma sœur. Là-bas, personne ne trouvait que j'avais un drôle d'accent, je ne m'attirais pas automatiquement les soupçons quand je disais venir de Toronto. Enfin... De retour ici, j'ai réalisé que si, après cinq ans, je ne me sentais toujours pas chez moi dans cette maison, c'était, au moins en partie, de ma faute : je n'avais même pas essayé d'apporter une touche personnelle au décor. Je me suis dit qu'il était temps que ça change... Alors Colette, attendez-vous à des changements!

— Je suis pour ça, moi, les changements!

Magalie et Colette achèvent rapidement le travail. Nous rentrons alors toutes trois dans la maison.

— Vous allez nous excuser quelques minutes, Colette. Il est plus que temps que Corinne et moi allions aux toilettes.

J'apprécie la délicatesse de Magalie, le soin qu'elle met à choisir ses mots pour éviter de ramener constamment mon état au premier plan. Certes, si elle s'attache ainsi à créer une illusion de normalité, ce n'est pas seulement pour moi. En fait, je dirais que c'est avant tout pour elle-même. Au fond, le réel ressemble à la dinde : il faut savoir l'apprêter, le napper d'une bonne louchée d'illusion ; sinon, il vous étouffe.

Ce soir, il n'y aura ni dinde ni sauce dans les assiettes. Magalie a plutôt préparé, avec l'aide de Colette, des brochettes de poulet. Une fois Raymond rentré de sa tournée motorisée avec grand-père, elle lui en confie la cuisson et, tandis que le spécialiste du barbecue officie devant ses grilles, elle va débusquer chez les voisins mon frère récalcitrant, plus intéressé par la nouvelle console de jeu de son ami que par la compagnie de nos grands-parents. Avant de partir, Magalie me couche à plat ventre sur le plancher du salon et met à jouer mon disque préféré : la bande sonore du film *Dick Tracy*, une musique rigolote, chantée par Madonna, la reine de la pop. Cela me donne envie de bouger. Je bats la mesure avec ma tête.

I'm going bananas
and I feel like my poor little mind
is being devoured by pyranas
yes, I'm going bananas.

— Veux-tu bien me dire quoi c'est que ce barda ? râle Bertrand.

— C'est la musique de Corinne, répond Colette.

— De la musique? T'appelles ces couinements-là de la musique? J'm'en vais te faire jouer de la vraie musique, moi. Allez, enlève-toi de mon chemin, dit Bertrand en claudiquant vers la minichaîne.

— Le fais-tu exprès pour être haïssable, Bertrand Larose? Magalie a mis ce disque-là pour ta petite-fille, alors tu peux bien endurer un peu.

— Bah! Elle ne s'en rendra probablement même pas compte si on fait jouer autre chose.

Colette ne bronche pas. Elle s'interpose entre Bertrand et l'appareil, logé dans une vieille bibliothèque fermée par des portes en verre mousseline.

— Il me semble que, s'il y a une personne sur cette terre qui devrait montrer de la compassion pour elle, c'est bien toi. Quand tu as repris connaissance après ton AVC, tu pouvais pas bouger ou parler. Tu étais aussi dépendant que Corinne. Tu aurais aimé ça, peut-être, que je me sapre de toi comme tu te sapres d'elle, hein? Tu aurais aimé ça que je te laisse croupir dans ton lit d'hôpital tout seul, sans visite?

— L'as-tu fini, ton sermon?

Grand-mère Colette se tait.

— Allez, enlève-toi de mon chemin! maugrée-t-il en projetant en avant sa tête comme un taureau s'apprêtant à encorner.

— Tu…

Colette soupèse ses mots. Je peux quasiment la voir retourner sa phrase dans sa tête, chercher le bon angle d'approche. Bertrand l'écarte. Il se fraie un chemin jusqu'à la minichaîne, essaie quelques boutons avant de réussir à arrêter le disque, continue d'appuyer un à un sur les autres.

— Sais-tu comment faire fonctionner la radio là-dessus, toi?

— Je suis fatiguée, Bertrand.

Sans musique pour amortir leur impact, les paroles de Colette cognent fort.

— Je suis fatiguée d'avoir jour après jour le sentiment que, quoi que je fasse, je pourrai jamais te contenter; pire, que je suis tout juste bonne à te faire rager.

Bertrand émet un grognement, mais il ne dit rien. Bien que mes grands-parents possèdent la faculté de parler, ils traînent, à l'évidence, toute une substance inexprimée au dedans.

— Des fois, je me demande si j'étais tombée malade à ta place, te serais-tu occupé de moi?

— J't'aurais pas infligé ce que, toi, tu m'as infligé. *Câlisse!* J't'aurais sacré la paix. J't'aurais laissé crever en paix.

— Parce que tu aurais préféré que je te laisse crever?

Tous deux restent pantois devant l'intensité de la question, terminée sur une note aiguë. Bertrand s'est retourné. Ils se font face : elle, bien droite, les paumes tournées vers le plafond; lui, son grand corps tordu tremblant sous l'effort de la station debout.

— Hummmmm... La mort est parfois préférable, commence-t-il d'une voix basse et très grave en forant des yeux le plancher. À quoi c'est qu'j'suis bon, hein? Quand j'étais garçon, j'avais un cheval : Bronco. J'sais pas si j't'en ai parlé.

— Non.

— C'était un beau percheron moucheté qui haïssait la selle. J'le montais à cru. Un hiver, comme d'habitude, j'étais parti bûcher avec lui p'is mon frère Émile. Mon dernier hiver dans les chantiers... Juste avant de rentrer, le terrain était glissant, on a eu un accident. Bronco a été écrasé par son chargement de billots. J'l'ai regardé dans les yeux, j'l'ai caressé une dernière fois. P'is j'ai pris ma hache et j'la lui ai plantée drette là, en plein milieu du crâne.

Il fait une pause. Puis, très lentement, se rasseyant, il ajoute :

— Moi p'is la Corinne, on a pas eu c'te chance-là. Personne a eu le cœur de nous achever.

Colette reste sans voix, les yeux dilatés par l'horreur. Au bout d'une minute, enfin, elle brise le silence.

— Comment… Comment peux-tu dire ça ?

— J'suis un fardeau pour toi, mais au moins, j'en ai plus pour longtemps. Elle, 'stie, est un fardeau que notre fils et l'anglophone vont devoir porter jusqu'à leur tombe. La meilleure chose, pour tout le monde, aurait été de la laisser mourir. Mais la bru a insisté, a supplié les médecins. Elle se sentait coupable, j'imagine. C'est sûr que ça vient pas de notre bord, les infirmités. Maudits gènes importés.

Il s'arrête, saisi par la soudaine fixité du visage de Colette.

Magalie est revenue. Il n'a pas entendu la porte.

Magalie tient par la main mon frère, son petit-fils. Je peux la voir avaler et serrer les dents. Elle a entendu. Les ailes de son nez frémissent. Finalement, elle annonce :

— Je viens de parler au cuisinier. Le dîner va être prêt dans quelques minutes.

— Chez nous, on appelle ça le souper, répond Bertrand du tac au tac sur un ton trompeusement taquin.

Magalie s'éclipse, entraînant mon frère à sa suite. Bertrand reprend tout bas, cette fois à l'intention de Colette.

— Tu vois ? Elle est même pas foutue de parler notre langue comme du monde, 'stie.

Excédée, Colette le fusille du regard et s'écrie :

— Tais-toi Bertrand, tais-toi, tais-toi, TAIS-TOI!!!
Tu m'fais honte!

Toute la maison entend la riposte de grand-mère.
Même dehors, Raymond l'entend, j'en suis sûre. Il surgit
avec son plateau fumant de brochettes.

— Qu'est-ce qui se passe ici?

Bertrand tente de prendre la parole, mais Colette
tranche :

— On va y aller.

— Vous allez tout de même pas partir comme ça, sans
manger?

— Ça vaut mieux, dit Colette.

Raymond la questionne, cherche à comprendre ce qui
vient de se passer : sans succès. Bertrand, quant à lui, essaie
de se racheter par quelques excuses branlantes. Rien n'y
fait. Colette le pousse résolument vers la porte et refuse
d'ajouter quoi que ce soit. Au passage, elle dépose un baiser
sur la joue de son fils.

— Maman...

— Va, va retrouver Magalie. Elle a sûrement besoin
que tu la consoles.

Les camions qui roulent à toute vitesse sur les chemins
de gravier soulèvent des nuages de poussière qui persistent
plusieurs minutes après leur passage. Ce n'est pourtant
rien comparé à la poussière soulevée par Bertrand dans
notre maison. Magalie finit par réapparaître, déterrée de
sa cachette par Raymond. Lui a-t-elle répété les cruelles
paroles de Bertrand?

Durant le repas, Benoît hasarde quelques questions. Il
cherche à comprendre la scène qui s'est jouée dans notre
maison. Infirmités? Gènes importés? Les mots barbares
répétés gonflent de larmes les yeux de Magalie. Lavera-t-elle
leur souillure de la bouche de son fils avec une savonnette,

comme j'ai vu faire dans un vieux film à la télévision ?
Non. Elle continue à manger du bout des lèvres le repas
qu'elle avait voulu parfait. Stoïque, Raymond tente d'expliquer à Benoît que certains mots, dans certains contextes,
peuvent blesser.

— Oh ! fait Benoît, comme quand Bouthillette dit que
mes idées sont rien que des plans de nègre...

Magalie réprime un frisson.

— Oui, exactement, répond Raymond, fort mal dans
sa blancheur.

À couvert sous la table, Magalie lui caresse une cuisse.
Son front altier pourrait être celui d'une reine africaine au
cœur de la jungle. S'avançant vers le singulier visiteur, elle
déclarerait, en présence de ses sujets assemblés : « Homme !
tu es de ma tribu. De quelle tribu ? Nulle autre que celle
des Sans-Couleur, pardi ! »

Dans l'intervalle, Benoît s'est volatilisé. Raymond
vient de terminer son assiette. Il se lève et fait tourner un
disque des Gipsy Kings afin de chasser les dernières par-
ticules de poussière. Au son des guitares andalouses et des
Djobi, Djoba, il invite Magalie à danser, me laissant pour
seule compagnie la vaisselle sale du souper. Ils tournoient
enlacés sur le rythme trépidant des cordes, que renforcent
périodiquement des battements de mains ; un rythme qui
les transporte loin de notre ferme, de cette vallée, de ce
continent et de nous, leurs enfants. Ils redeviennent les
amoureux rebelles d'autrefois.

Quand, tout essoufflés, Magalie et Raymond se ras-
soient, nous pouvons de nouveau respirer à pleins poumons.

— Tu ramasses et je donne le bain aux enfants ? dit-il
au bout de quelques minutes.

— D'accord.

— Rendez-vous sur la galerie après ?

— *Si señor!*

Raymond bouscule le rituel du coucher, qui d'habitude inclut pour moi une berceuse et un court massage, par lesquels le sommeil infiltre mes membres têtus. Ma chambre, plongée dans la solitude de l'obscurité, se referme sur moi. Sa porte close bloque la lumière du corridor. Heureusement, le store resté levé laisse pénétrer la lueur d'un croissant de lune.

Par la fenêtre entrouverte, me parviennent après quelque temps les voix de mes parents. Je les suppose assis sur la galerie, tassés l'un contre l'autre dans la causeuse en osier.

— Regarde! une étoile filante.

— Fais un vœu, dit-il.

— Je fais le vœu de ne plus jamais me laisser humilier comme cet après-midi, surtout pas sous mon propre toit.

— Je suis désolé. Papa est allé trop loin. Il se rend pas compte à quel point il peut être méchant. J'aurais dû dire quelque chose.

— Tu es arrivé après coup.

— Il a jamais été un modèle de tolérance, mais il y a des limites.

— Je ne me suis jamais fait d'illusions à propos de ton père. Mais je pensais qu'il aurait au moins la décence de tenir sa langue devant les enfants.

— Ouais. Moi aussi… Et j'ai bien l'intention de lui dire ce que j'en pense, de ses médisances de vieux chnoque frustré.

— Raymond, prends garde à ne pas dire des choses que tu pourrais regretter. Pour l'instant, oublions ça, tu veux? On est bien ici, sous le ciel.

— Ouais. C'est plutôt agréable d'être assis comme ça, sans bouger, collé contre toi pour regarder les étoiles.

Il se délecte de l'immobilité qui lui permet de mieux goûter la beauté du soir et la compagnie de sa femme ; une immobilité passagère, volontaire et introspective. La mienne n'est pas si différente. J'ai seulement choisi un autre registre.

Raymond ressemble davantage à son père qu'il ne veut l'admettre.

CHAPITRE 6

La tragédie est dans le regard
des regardeurs

— Oh ! Ne me regarde pas avec cette tête-là. Je sais
bien que tu n'aimes pas ça. Je n'aime pas ça non plus, je
n'aime pas devoir t'attacher là-dedans, mais rappelle-toi ce
qu'a dit Kathleen...
  Je dévisage Magalie. Elle ajuste une à une les sangles de
mon verticalisateur. Raymond et moi l'avons surnommé
l'appareil de torture, parce qu'il force mon corps à une
droiture contraire à sa nature.
— C'est pour ton bien.
  Kathleen, ma physiothérapeute, discourt sans arrêt
sur l'importance d'une bonne posture. Elle soutient qu'il
y va de mon bien-être à venir. Elle partage avec Magalie
l'absurde manie de considérer le présent à travers le filtre
de ce qui pourrait être. Pour moi compte seulement ce qui
est : cette minute, cet instant et cette journée ; l'alternance
entre mon verticalisateur et mon nouveau corset-siège, une

autre aide technique à la posture que Mme la physiothérapeute prétend essentielle. Les vendeuses de la boutique favorite de Magalie portent elles-mêmes les vêtements et les accessoires offerts sur les étalages. Or, Kathleen n'a évidemment jamais fait usage de la marchandise biscornue qu'elle prescrit. Je ne doute pas de ses bonnes intentions, mais sa crédibilité frise le zéro absolu : ses pieds sont trop agiles; ses vertèbres, trop parfaitement alignées. Bien entendu, on ne confierait pas l'entraînement de l'équipe canadienne de patinage de vitesse à un footballeur. Selon la même logique, ne devrait-on pas interdire les professions médicales et paramédicales aux blancs-becs qui n'ont pas même passé une nuit sous perfusion à l'hôpital ?

Dans ses pantalons d'élasthanne et ses chemisettes ajustées en coton et polyester, Kathleen, la physiothérapeute, projette une image insolente de perfection. Par égard pour sa clientèle, elle devrait au moins choisir des vêtements masquant cette perfection au lieu de la souligner. Après tout, son rôle n'est pas de nous complexer. Sa façon de pencher la tête sur le côté et de mordiller son crayon quand elle écoute ou évalue la position d'un patient évoque un moineau perché nonchalamment sur la plus basse branche d'un arbre, dans un jardin interdit aux chats.

Magalie ébouriffe tendrement mes cheveux.

— *There you go!* Tu vois, ça n'est pas si mal.

Pas si mal comparativement à la grêle, au cancer, à la bombe atomique, aux biphényles polychlorés qui ont flambé pas loin d'ici et forcé des milliers de gens, dix-huit jours durant, à dormir hors de leur lit ?

Je la regarde s'installer sur les coussins moelleux du sofa, une jambe repliée sous son fessier. La rondeur nouvelle de son ventre alourdit à peine son corps gracile.

Malgré mon affection de roc et de ouate pour elle, je rage parfois en dedans.

À cet instant, je l'imagine ligotée par Kathleen à ma place, contrainte à une qualité de vie toujours à venir. Pendant ce temps, moi, je jouerais à l'amibe sur le plancher du salon, croche et fière de l'être.

Je rage et tempête contre Magalie et Kathleen, mais contre moi surtout, contre mon incapacité à jouir pleinement du temps passé hors de mes prisons de plastique, de mousse et de métal, comme la joyeuse promenade en traîneau dans la neige fraîchement tombée, ce matin. Mes libérations conditionnelles et provisoires rendent encore plus détestable mon retour à l'incarcération thérapeutique. Pourquoi, pourquoi, pourquoi, ô pourquoi Magalie boite-elle comme parole de messie les avis de Kathleen ?

Sur le sofa, Magalie attend Benoît. N'était-ce du verticalisateur, j'y serais aussi, pelotonnée contre elle. Mon frère vient de terminer sa collation. Magalie l'a envoyé se laver les mains. Suivraient normalement les devoirs. Ainsi le veut notre rituel quotidien, celui des jours de semaine ; un rituel qui régit aussi nos couchers et les repas familiaux. Magalie obéit en cela aux experts. Face aux accidents de la nature (comme moi), il faut humblement s'incliner. En fille d'immigrante, Magalie s'attend d'ailleurs toujours au pire ; mais, moins fataliste que son père, elle ne se considère pas entièrement dépourvue de pouvoir et croit aux vertus de la prévention, ce qui pour elle signifie aujourd'hui ouïr les bons conseils des psychologues, psychopédagogues, nutritionnistes, orthopédistes, neurologues et autres ogres — pardon ! *ogues*. Quitte à me ligoter, même, s'ils le recommandent.

Benoît accourt. Elle l'invite à s'asseoir près d'elle. Mon frère s'exécute avec un grand sourire inquisiteur, content de l'attention et manifestement curieux d'en connaître la raison. Les rapprochements affectueux sont d'habitude réservés au moment du coucher, après le bain.

Magalie enlace ses délicates épaules. Elle le tient serré, hume ses cheveux de garçon en fermant les yeux. Quelles odeurs peuvent bien s'accrocher à la tignasse châtaine aujourd'hui : des traces de colle et de gouache, la puanteur caoutchouteuse d'un ballon ou, encore, l'arôme des cèdres où Benoît aime se cacher ?

— Je ne sais pas si tu t'en souviens, dit-elle en guise d'entrée en matière. Tu étais si petit la première fois que je t'en ai parlé.

Elle pose sur lui un regard de velours. Les voilà seuls sur une île paradisiaque au milieu de l'océan du monde.

— Avant la naissance de Corinne, je t'ai expliqué ce qui se passe quand une maman et un papa s'aiment…

Il hoche la tête. Il se souvient. Un bébé, bientôt, naîtra de l'amour de Raymond et de Magalie ; un bébé qui, j'imagine, aura le parfum suave des possibilités sans entraves ni regret.

— Un petit frère ? demande-t-il.

Ou une petite sœur, me dis-je. Je me figure l'âme de ce bébé descendue dans les entrailles de Magalie sur le dos d'une étoile filante. Techniquement, je le sais, les choses ne se passent pas tout à fait comme cela. Les histoires que nous lit Magalie parlent des débuts de la vie physique, mais pas de la petite flamme qui brille dans les yeux avec l'éclat d'un soleil éternel.

Comment mon âme s'est-elle enracinée dans ce corps ? Je l'ai oublié. Et pourquoi dans ce corps-ci ? Il y a une raison, je crois. Forcément. Mais quelle était donc cette raison ? Pourquoi m'est-elle voilée ?

Les feuilles qui tombent à l'automne protègent les racines des arbres pendant leur hibernation et les nourrissent au printemps, voilà pourquoi il ne faut pas les ramasser. Des Anglais vêtus de rouge ont pillé et brûlé jadis la maison des Bourdage, aïeux patriotes de sa mère : pour cette raison, Bertrand Larose n'aime pas Magalie, au nom bien français, mais anglophone de par son père et son lieu de naissance.

Rien n'est arbitraire. Avec un peu de recul, on discerne de toutes choses les causes.

Les réponses à mes pourquoi, je les sens, je les devine aux limites de mon entendement, fondues dans les ténèbres avec les contours de mon chiffonnier pendant ces heures où mon esprit noctambule quitte ma chambre pour explorer la maison endormie. Quand, le matin venu, Magalie remonte le store, il y a toujours un moment d'éblouissement ; à l'inverse, quand elle oublie de le tirer et qu'il reste levé toute la nuit, mes yeux s'habituent progressivement à la clarté. Les réponses, je sais, viendront comme l'aube avec sa succession de mauves, de roses et d'orangés, petit à petit, afin de ne pas m'aveugler.

Magalie et Raymond sont de nouveaux amoureux. Il lui caresse le ventre et se plaît à la surprendre dans ses tâches ménagères, l'enlaçant par-derrière et déposant dans son cou des baisers. Quand il se croit à l'abri des regards juvéniles, il laisse parfois ses mains d'homme se faufiler sous la chemise de sa bien-aimée et remonter jusqu'à ses seins, plus lourds à mesure que s'écoulent les mois et qu'approche le terme de cette grossesse.

«Nous sommes ensemble et nous le resterons malgré tout!» professe le ventre rond de Magalie.

Au centre commercial de la ville voisine où elle m'emmène magasiner, les bonnes gens se retournent sur notre passage comme si nous étions des Martiennes à la peau verte. D'accord, à ce jour les scientifiques n'ont officiellement trouvé que des cailloux sur Mars. Mais c'est quand même un fait bien connu que les habitants de Mars ont la peau verte ; tout le monde a entendu parler des petits hommes verts. Et tout le monde semble aimer parler de nous.

De temps en temps, nous parvient une exclamation :

— La pauvre !

— On n'a pas idée, tout de même…

— Et enceinte par-dessus le marché.

— Elle, son ciel est déjà gagné.

— Moi, à sa place, je ne sais pas ce que je ferais.

Dans une oasis artificielle carrelée de rose et de gris, poussent des arbres blêmes. Sous les branches de ces captifs, on vient casser la croûte ou se désaltérer. Toutes les tables sont occupées lorsque Magalie m'y conduit. Linda Saucier, la mère de notre gardienne attitrée, offre de partager la sienne.

— Assieds-toi. Y'a pas de gêne ! Viens reposer tes jambes.

Magalie parvient tout juste à glisser un merci.

— Je reviens tout de suite. Je vais aller me chercher une limonade.

Peu s'en faut que notre bonne Samaritaine ne l'assoie de force. Elle parvient à s'échapper, sans moi, et revient quelques minutes plus tard avec un grand gobelet de carton, autour duquel commencent à perler des gouttelettes de condensation.

— Pendant que j'y pense : Guylaine voulait t'appeler pour voir si elle pourrait pas venir un peu plus tard que prévu samedi. Elle a une compétition.

— On devrait pouvoir s'arranger.

— La grossesse se passe bien ?

— Oui.

Mme Saucier pose une main sur l'avant-bras de Magalie, qui s'empresse de le retirer.

— Tant mieux. Moi, pour Guylaine, j'ai eu des nausées du début à la fin. Je ne te mens pas. Et à mon troisième trimestre, j'avais les chevilles tellement enflées que je devais rencontrer mes clients en babouches. J'avais assez honte !

Magalie écoute son babillage d'une oreille distraite. Lentement elle aspire à la paille sa limonade glacée. De temps à autre, elle s'interrompt pour brasser le liquide, et le bruit mat des glaçons qui s'entrechoquent détourne quelques instants mon attention des glissades et staccatos de ce mégaphone vivant. Mme Saucier enchaîne les détails intimes. Elle relate les maux endurés pendant sa seule et unique grossesse ; une grossesse longtemps attendue, qu'elle et son conjoint n'espéraient plus.

— Un miracle ! J'aime pas faire dans les clichés, mais, qu'est-ce que tu veux, celui-là, il dure parce qu'il est vrai : la maternité, c'est toujours miraculeux, claironne-t-elle.

Ses lèvres carmin s'immobilisent momentanément. Elle passe une main dans la frange de ses cheveux avant de repartir de plus belle.

— Il faut que je te dise, ma chouette, je te trouve bien courageuse d'avoir un autre bébé.

Se propose-t-elle comme juge, camarade ou sauveteuse ? Jusqu'ici, elle n'a toujours été pour nous que la mère de Guylaine.

— Je ne dis pas ça pour te mettre mal à l'aise ou t'offenser. Je la trouve adorable, Corinne, sauf que j'ai une bonne idée de l'ampleur des soins qu'elle demande…

Magalie n'avait pas inscrit l'amitié au programme, mais elle ne la dédaignerait peut-être pas. Sur la côte du Pacifique ou au bord de la rivière Richelieu, pendant ma toilette ou la préparation des repas, je suis sa confesseuse. Or, le silence ayant fait de moi l'infaillible gardienne de ses secrets m'empêche de prononcer les mots qu'elle aurait maintenant besoin d'entendre. Du reste, je ne suis pour elle qu'une enfant. Elle dément que la sagesse n'attend pas les années ; les grands recherchent la compagnie de semblables portant aussi peu ou autant de rides qu'eux.

Mme Saucier continue :

— J'essaie de m'imaginer à ta place, et j'ai la trouille à la pensée que, ce nouveau bébé, il pourrait aussi être handicapé. Si, par malheur, il développait la même chose que Corinne… Misère noire ! Tu as pensé à ce que tu feras ?

Encore faudrait-il que Linda Saucier sache s'y prendre pour amadouer Magalie.

— *That's none of your business !* siffle-t-elle à travers ses dents.

Magalie se lève. Elle ne tolère pas qu'on lui parle de mon handicap. L'ignorance l'agace ; tout ce qui ressemble vaguement à de la pitié, encore plus. Quand les émotions la submergent, elle ressort l'anglais, la langue de ses premières amours, de ses premières colères et de ses premières certitudes.

Je me prépare mentalement à partir.

— Prends pas ça de même. J'voulais pas t'insulter, Magalie. J'voulais juste te faire sentir que tu peux me parler. Si tu veux. Si t'as besoin d'une amie.

Pendant quelques secondes, Magalie promène son regard sur les gens alentour. Puis, contre toutes mes attentes, elle répond :

— Une amie qui va colporter dans tout le village ce que je vais lui dire, non merci. Bavarde Saucier, c'est comme ça qu'on vous appelle, n'est-ce pas ?

Mme Saucier essaie de se défendre. Magalie ne lui en donne pas la chance.

— Mais je vais quand même vous répondre, parce que j'en ai assez d'entendre murmurer des commentaires dans mon dos : vous passerez le message.

Elle a calmé sa houle. Elle s'exprime posément.

— Je le sais. Pour la plupart des gens, un enfant handicapé signifie l'arrêt automatique de la procréation. À vos yeux, cette grossesse n'a pas de bon sens. Pourtant, je ne suis ni folle ni masochiste, et le bébé que je porte n'est pas le fruit d'un accident ; il a été désiré. La paralysie cérébrale, vous saurez, n'est pas d'origine génétique.

J'ai manqué d'oxygène. Je surgis trop tôt d'une matrice rendue inhabitable à cause d'un décollement placentaire.

— Mes chances de subir un autre décollement sont d'une sur quelques milliers ou quelques millions, je ne sais plus. Elles sont exactement les mêmes que celles des autres femmes.

Le médecin n'a jamais voulu s'avancer sur les causes, mais j'ai, quant à moi, senti souffler un ouragan dedans l'univers Magalie à ce moment-là, un ouragan que j'ai pu identifier plus tard grâce aux anecdotes et aux photos de famille. Il s'agissait de notre déménagement à la campagne, de la transformation involontaire et imprévue de la citadine en fermière.

— Bref, ajoute Magalie, je n'ai aucune raison de penser que mon bébé ne sera pas normal.

— Tu m'en vois ravie, dit Linda Saucier d'un ton mielleux en détachant les syllabes du dernier mot.

Nous ne nous éternisons pas. Magalie a encore des courses à faire. Il lui reste à acheter des kiwis et à prendre livraison de la couverture commandée pour la chambre du bébé. Tous s'inquiètent pour elle. Et moi, bien égoïstement, je m'inquiète pour moi.

Il est normal que mes parents souhaitent avoir un enfant « normal ». Je sais. Néanmoins, comme je le déteste ce mot qui dit tout ce que je ne suis pas et ne serai jamais. Deviendrai-je trop encombrante pour Raymond et Magalie à côté de leur progéniture comme il faut, de cette descendance appelée aux études, aux voyages, à la réussite, à la perpétuation du nom Larose ?

Mes voyages à moi les terrifient. Ils leur donnent le nom de crises. Raymond, qui s'occupe davantage de moi depuis que Magalie est enceinte, surveille l'apparition des signes avant-coureurs avec la vigilance d'un fauve en chasse. Il écrase des comprimés qu'il mélange à mes purées afin de me clouer au sol. C'est vrai que mes décollages et atterrissages malhabiles s'accompagnent souvent de dégâts : ecchymoses, vêtements déchirés, bibelots cassés, etc. Je pense que, sinon de son interventionnisme antiaérien, je volerais depuis longtemps avec l'agilité d'un colibri.

L'art du vol sans ailes intéressera peut-être le bébé, cette petite sœur que j'ai, malgré tout, bien hâte de rencontrer. Nous savons à présent que ce sera une fille. Sa chambre est fin prête, c'est-à-dire qu'on a redécoré pour elle ma chambre à l'étage. Moi, j'ai maintenant mes quartiers au rez-de-chaussée, dans la rallonge terminée peu avant les Fêtes. Je commençais apparemment à être trop lourde pour être transportée sans arrêt dans les escaliers. Et pourtant, la docteure continue de se lamenter que je ne prends pas assez de poids. Allez donc y comprendre quelque chose !

Raymond jubile de la venue de cette petite fille. Je l'ai entendu répéter ses berceuses tandis qu'il assemblait la couchette :

Ma petite est comme l'eau, elle est comme l'eau vive. Elle court comme un ruisseau...

Dehors, l'hiver rugit à présent. La roseraie dort ensevelie sous la neige. Le vent dessine dans la poudreuse des crêtes mouvantes qui évoquent les dunes de contrées lointaines tandis que, dans la cheminée, crépite un bon feu de bois. Benoît passe de longues heures à jouer au hockey avec ses amis sur la patinoire des voisins. Le temps lui-même semble couler comme eau vive, transmué par la joyeuse expectative qui règne dans notre maison.

Le bébé choisit pour venir au monde la dernière tempête de mars. J'entends Raymond et Magalie partir en pleine nuit ; le claquement des portières de la voiture m'avertit de leur départ. Benoît découvre au matin Guylaine couchée sur le sofa, sa petite valise et son cartable posés sur le paillasson de l'entrée. C'est elle qui me sort du lit et m'installe dans mon fauteuil — après avoir tiré, tiré, tiré sur ma jambe droite, restée accrochée par mon pied au côté qu'elle n'avait que partiellement abaissé (j'ai crié à lui défoncer les tympans, sans qu'elle comprenne). C'est elle aussi qui prépare notre petit-déjeuner, sur un fond de rock *heavy metal*.

Raymond revient de l'hôpital en fin de matinée, mais il s'écoule encore un autre jour avant qu'il ne ramène chez nous Magalie et ma petite sœur.

La neige, qui a tombé pendant ce temps presque sans interruption, a doublé la hauteur des bancs de neige. La porte s'ouvre sur une apothéose de blancheur et de lumière. Magalie entre la première, suivie de Raymond, qui convoie dans un siège de transport gris et bleu le menu paquet sorti des entrailles maternelles. La couverture aux imprimés d'oursons et de hochets me laisse tout juste entrevoir un front et un bout de nez doré. Benoît, autorisé à manquer l'école pour l'occasion, se jette sur Magalie.

— Bonjour, mon grand. Si tu savais comme je me suis ennuyée, roucoule-t-elle dans le creux de son cou en le serrant très fort. Viens que je te présente ta nouvelle petite sœur. Nous lui avons donné le nom de Safiya, en l'honneur de ta bisaïeule.

Certains la prétendaient un peu sorcière, mammy Safiya ; on disait qu'elle avait des dons. Grand-père Farah refuse invariablement d'en dire plus. Peut-être volait-elle comme moi ? Je me demande si ma sœur manifestera aussi des dons. On la dépose dans les bras de mon frère, sagement assis dans la berçante. Il ose à peine respirer. Il sait qu'on doit éviter de secouer les bébés et, surtout, surtout, empêcher qu'ils ne tombent sur leur tête molle, ce qui, selon la rumeur, est arrivé à Rico Slomo, du même âge que Benoît, mais deux ans derrière lui à l'école parce qu'il mélange ses chiffres et ses lettres.

Vient mon tour. Magalie tire une chaise à côté de la mienne. Tout en soutenant parfaitement le dos et la tête de Safiya au creux de ses bras, elle vient appuyer sur mes genoux les pieds minuscules de ma sœur.

— Chérie…

Le « chérie » de Raymond résonne d'anxiété paternelle. Je sonde son expression, sa posture, ses gestes ; je cherche à distinguer ses couleurs. De toute évidence, il redoute mes soubresauts, ou pire une crise.

D'un regard, Magalie le muselle. Il n'achève pas sa phrase. À la place, il annonce qu'il va monter les bagages à l'étage. Je tourne mon attention vers Safiya, son petit crâne rond surmonté d'un duvet noir, sa peau plissée et puis ses yeux d'obsidienne, que j'aperçois un instant à travers les paupières mi-closes.

— C'est ton portrait craché, dit Magalie sur un ton rêveur.

Elle ne me parle pas ; elle se parle à elle-même. Elle se revoit en 1987.

— Tu avais la même tête, les mêmes cheveux...

Elle déplie délicatement les doigts effilés de la menotte droite.

— Les mêmes doigts.

Cette fille désirée, attendue, normale, Raymond aurait voulu tantôt la tirer à lui pour la protéger, comme ces mères couveuses que Magalie et moi croisons parfois en ville et qui s'empressent de rappeler à elles leurs poussins curieux lorsque ceux-ci s'approchent trop de moi. Raymond a engendré une remplaçante. Safiya accomplira les ambitions qu'il avait pour moi, à condition que je ne l'endommage pas, ne la contamine pas. Notre ressemblance fait toutefois sourdre l'angoisse dans les replis de sa conscience. Elle lui rappelle qu'un bonheur est vite cassé.

— Bon, je devrais aller la coucher.

Partagée entre envie et tristesse, je regarde s'éloigner Magalie portant ma sœur. Je ressens la brûlure de tous les baisers que m'a refusés Raymond ; et pour la première fois, je mesure l'étendue de la calamité que je représente à ses yeux, comme à ceux des couveuses.

Quand elle me revient, Magalie porte sur elle un petit interphone de surveillance au lieu du bébé. On frappe à la porte. Elle charge Benoît d'ouvrir. Linda Saucier apparaît les bras lourds de victuailles, son anorak Kanuk entrouvert sur un élégant tailleur-pantalon. Elle arbore une nouvelle coiffure, surmontée d'une paire de verres fumés.

Sur-le-champ, Mme Saucier transfère une partie de sa cargaison à mon frère.

— Rends-toi utile, veux-tu, et dépose-moi ça sur le comptoir.

Utile, il va sans dire, va de pair avec normal. L'utilité est une importante unité de mesure dans son réel et celui de mes parents.

Magalie cumule les fonctions de comptable, puéricultrice et cuisinière. Raymond nourrit les gens de la ville. Benoît prendra un jour sa relève. Et moi ? Les confessions que je recueille, Magalie pourrait les confier à un rocher ou à un chat avec le même résultat. Je sème la zizanie dans la famille ; à cause de moi, grand-père et grand-mère Larose nous ont désertés. Je ne suis pas seulement inutile, je suis nocive.

La vue de la visiteuse cloue Magalie sur place.

— C'est ma façon de demander pardon pour ma bévue du centre d'achats.

— C'est peut-être moi qui devrais demander pardon.

Mme Saucier, de coutume si bavarde, choisit de se taire. Pendant un long moment, elles s'étudient l'une et l'autre. Enfin, l'esquisse d'un sourire apparaît sur leurs lèvres.

— Vous avez dévalisé le supermarché ? dit Magalie en s'approchant pour prendre un des sacs.

— Tu ! Tu… s'il te plaît ! Garde ton vouvoiement pour les petites vieilles et le premier ministre.

Ses mains enfin vides, Mme Saucier embrasse Magalie et lui souhaite un bon retour.

— Je ne te dérangerai pas longtemps : tu dois être fatiguée. De toute façon, je rencontre un client dans trente minutes. Je voulais seulement t'apporter mes petits plats. Tu as là de quoi nourrir ton monde pendant une bonne semaine.

— Merci, c'est vraiment très généreux de votre… de ta part.

— Oh! y a vraiment pas de quoi. C'est ma façon d'aider. Guylaine m'a annoncé... Félicitations! Une fille?

— Oui, Safiya. Un beau bébé de sept livres et dix onces en pleine santé.

— Je suis contente pour toi. Alors, Benoît? Content d'avoir une petite sœur?

Benoît hausse les épaules. Mme Saucier se penche vers moi et me pince les joues en guise de bonjour.

— Et toi?

Je devrais me réjouir de la naissance de Safiya plutôt que de me vautrer dans la pitié! Comment ai-je pu me laisser moi-même prendre au piège de la comparaison? L'apitoiement me détruira si je ne me ressaisis pas. Je m'y enliserai.

CHAPITRE 7

Méfiez-vous des zones de pergélisol !

J E ME débats dans cet entre-deux qui n'est ni veille ni sommeil, mais glu chaude et chatoyante, dont les couleurs changent aussitôt que mon attention tente de les fixer. Un filet pâteux m'enserre. La constriction amène l'engourdissement, puis l'abdication. Je glisse dans une inconscience poisseuse, intermittente.

Les pleurs du bébé pris de coliques ou réclamant son boire, les mots somnambules échangés par mes parents durant leurs transits nocturnes vers l'une ou l'autre de nos chambres, de même que les craquements du vieux plancher d'érable sous les pas de Magalie ; tous ces sons se mêlent à la glu : ils en sécrètent la substance même. Ils en distillent les couleurs.

Le même scénario se répète nuit après nuit. Benoît parvient encore à dormir. Faute de pouvoir l'imiter, je tâche au moins de ne pas attirer l'attention. Ce soir, épuisée, je me suis vite assoupie, mais une douleur aiguë m'a brusquement ramenée des songes où je gambadais avec tant de plaisir. Encore une fois, je suis condamnée à contempler le plafond. Pis encore, je cherche ma respiration.

Je m'insurge contre le pieu qu'on est en train d'enfoncer dans ma hanche. Un pieu? Je regarde, je remue ma jambe. Il n'y a pas de pieu. Il n'y a rien… Personne… Il y a ma jambe, rien que ma jambe et puis cette intolérable sensation. Quand s'arrêtera-t-elle? S'arrêtera-t-elle? Il faut qu'elle s'arrête. Il le faut. Si quelque part quelqu'un m'entend, faites qu'elle s'arrête! Je vous en prie… Tout-de-sui-te-main-te-nant.

Avalée par un spasme, je deviens spasme; mon essence se crispe et se tord. Le jour a oublié de se lever. Le temps ne court plus. On a tout bétonné.

Si je me concentre, peut-être réussirai-je à me repositionner? Tourner, voilà ce qu'il me faudrait faire — tourner pour, peut-être, craquer le béton. Tourner, je n'en suis pas capable. Ce corps n'est pas «matable». Crier, ça, je puis, comme les goélands qui tournoient aux abords des falaises, chez tante Sarah.

De mon gosier fuse un gémissement. Involontaire. Strident. Suivent à intervalles deux cris brefs et nets, contrôlés ceux-là.

Magalie ne tarde pas à venir. Je lui en suis reconnaissante. Elle n'allume pas. Un plafonnier, au pied de l'escalier adjacent, jette dans la chambre quelques rais de lumière jaunes qui colorent ses traits tirés de reflets verdâtres. Je frémis à la vue de l'expression hagarde sur son visage. Ma gorge se noue.

Sans que je me l'explique, une ritournelle se faufile dans ma tête:

Qui a peur du grand méchant loup?
C'est pas nous, c'est pas nous!

Qui a peur du grand méchant loup?
La, la, la, la, la...

Debout à côté de mon lit, Magalie se tient immobile. Sa respiration courte et rapide soulève à peine sa cage thoracique. Les secondes s'étirent. L'effilochage de la raison, ça se voit à l'œil nu? Et si trop de travail donne une faim de loup, est-ce que la déraison, elle, peut donner des dents de loup? Dans les histoires que me lit Magalie, les loups cherchent à ruser avec les mots et à se faire passer pour ce qu'ils ne sont pas.

Je plonge en elle, à la recherche de réconfort, mais percute un glacier. L'impact m'arrache une plainte. Me voilà catapultée en pleine toundra. Les loups s'aventurent-ils dans ces contrées-là? Magalie ne dit pas un mot. La toundra est une zone de pergélisol, où la vie reste en surface. On y construit les maisons sans sous-sol, parce que la terre refuse de se laisser creuser.

Magalie me fixe sans me voir; il y a de la statique dans ses yeux, comme sur le téléviseur pendant une tempête, quand la câblodistribution nous lâche et qu'une neige grise poudre l'écran. Lorsque Magalie me voit moi, lorsqu'elle me voit pour vrai, je sens entre nous un courant, une chaleur effervescente qui connecte nos cœurs et nous nimbe.

Magalie saisit un oreiller. Elle le tient suspendu à quelques centimètres de mon visage. Dans la demi-obscurité, il n'est qu'une informe masse grise.

La neige, quand elle poudre, vous glace jusqu'aux os. Parcourue d'un frisson, je pense : on peut mourir de froid dans une tempête de neige. Bien sûr, sous nos latitudes, les tempêtes frappent rarement aussi tard dans l'année. Mais grand-père Bertrand, qui ne rate pas une occasion de louer le courage et l'endurance des Larose d'antan devant l'adversité, affirme que les annales météorologiques font état de bordées tardives en mai, voire en juin.

Magalie n'a pas bougé. J'examine ses huit doigts crispés — ces doigts longs et minces aux ongles limés courts qui, inlassablement, me lavent, me nourrissent et me pétrissent. Des doigts qui me connaissent par cœur et que je dessinerais les yeux fermés même, si je savais dessiner. Des doigts agiles qui auraient pu jouer de la guitare, sculpter l'argile ou raccommoder les artères. Des doigts couleur d'ailleurs, parfumés aux eaux richeloises.

Longtemps, Magalie demeure pétrifiée. Puis, soudainement, d'une manœuvre très fluide, elle me tourne et coince l'oreiller dans mon dos pour m'ancrer sur le côté... sur le mauvais côté! Je geins. Elle inverse ma position et sprinte hors de la chambre sans me caresser le dos comme elle le fait d'ordinaire, ni me souhaiter de beaux rêves. Est-ce que Safiya l'aurait appelée sans que je ne m'en rende compte (parce que ma hanche occupait toutes mes pensées)?

Je m'attends à ce qu'elle reparaisse quelques minutes plus tard. De l'escalier, me parvient un bruit. Ce sont des sanglots, je crois. Comme Benoît dort et que Raymond ne pleure pas, lui, ce ne peut être que Magalie qui sanglote. Mais est-ce moi qui lui ai causé une si grande peine?

Petit à petit, ma respiration s'allonge et ralentit. Je cesse d'attendre l'attristée. Mes paupières s'alourdissent. Ma conscience décorporée se glisse dans une pèlerine rouge à capuchon, devant un océan placide aux eaux turquoise, sous le porche d'une maisonnette où tintent des mobiles de bambou, d'inox et d'onyx. Le ciel luit d'une clarté laiteuse. J'aperçois au loin sur les eaux, venant vers moi, pieds nus, une grande dame aux cheveux de jais. Je la reconnais : elle m'a déjà visitée. Son ample tunique blanche ondule au gré du vent; on la dirait tissée de rayons de lune. La dame avance avec une exquise lenteur. Elle passe indifféremment de l'eau au sable, puis s'arrête à quelques centimètres de moi. Elle s'agenouille. J'ai l'impression qu'elle sourit de tous ses pores, et mon être entier se dilate en réponse, à tel point que je croirais toucher au ciel.

Avec révérence et recueillement, la dame embrasse mon front et murmure dans mon oreille des paroles étranges, à la musicalité exotique et pénétrante. Ses mots dénouent un à un les nœuds dans mes membres. Combien de temps dure la rencontre? Comment se termine-t-elle? Je n'en ai pas conscience. Son visage s'efface progressivement; celui de Raymond s'y superpose, puis l'éclipse.

Je grimace de déception, mais pendant une fraction de seconde seulement. Puisque la visitation, quoique brève, a allégé mon cœur. Je choisis donc de laisser briller à travers moi la lumière du ciel que j'ai presque touché.

Avec mille précautions, Raymond change ma couche, m'habille et m'installe dans mon fauteuil. Il n'a pas l'habitude de ces gestes, qui lui prennent deux fois plus de temps que Magalie. Tous mes levers et couchers, c'est lui qui s'en charge durant les semaines qui suivent. Magalie évite mon regard, mes sourires l'effarouchent; elle chuchote dans le combiné du téléphone. Je ne l'ai jamais vue dans pareil état. Quel braconnier à la traque cause cet émoi? L'éléphante, la lionne et le chacal sont en fuite.

Nul ne parvient à apprivoiser l'animal qui se tapit dans les coins obscurs de la maison, pas même Benoît, le grand ensorceleur. Des traces de boue sur le carrelage lui valent des aboiements soutenus, hors de proportion avec sa faute.

Outre la boue, le dégel printanier nous ramène grand-mère Colette. Elle frappe à notre porte un dimanche après-midi. Seule et sans préavis. Raymond, qui n'a pas entendu approcher la berline et n'a pas vu grand-mère en descendre, reçoit un choc lorsqu'il la découvre sous le portique. Les mains enfoncées dans les poches d'un long manteau en tricot de mohair lavande, elle attend, son visage à demi tourné vers la voiture comme pour se rassurer : la fuite reste possible. Raymond se jette impétueusement à son cou et l'étreint.

— Est-ce que je suis encore la bienvenue chez vous?

— Tu parles d'une question!

J'observe du coin d'un œil ces embrassades qui s'étirent. Mon tour viendra. Colette ne m'oubliera pas. Enfin, je crois qu'elle ne m'oubliera pas. À moins que, vu mon rôle déflagrateur, elle ne me tienne rancune. Quand grand-père a explosé, les shrapnells ont volé dans toutes les directions. Personne n'a été épargné; mais elle, elle était en première ligne.

— C'est bon de te voir. Il y a longtemps…

Raymond l'attire à l'intérieur et, sans décoller ses yeux d'elle, referme la porte en acquiesçant de la tête.

— J'ai pensé souvent à vous autres. Oh! tu ne sais pas combien de fois j'ai eu envie de venir, surtout depuis que j'ai appris l'arrivée de votre pouponne. Je voulais la bercer, cette petite fille-là, la bécoter… bref, l'accueillir officiellement en tant que matriarche de la famille! dit Colette avec un éclat de rire.

Puis elle ajoute, plus sombre :

— T'as pas appelé.

— Je voulais pas risquer de tomber sur papa. Je t'en veux pas. Ce qui s'est passé, c'est pas de ta faute à toi. Mais lui…

En attendant la bise de grand-mère, j'apprends avec le chef Éric Bilodeau comment cuisiner un soufflé : on doit bien battre les blancs d'œufs, explique le courtaud coiffé d'une toque en joignant le geste à la parole; pour obtenir un soufflé aérien, il faut particulièrement éviter les traces de doigts dans le moule beurré et fariné. Quelques secondes plus tard, le chef Bilodeau sort du four un soufflé miraculeusement doré et gonflé (un autre tour de passe-passe de celui que Raymond appelle Legars Desvues, sans doute).

L'étendue du savoir transmis par la grosse boîte fenêtrée qu'on appelle *télévision* ne finit pas de m'étonner. Du reste, elle ne fait pas qu'enseigner. Pour les gens qui n'ont pas la capacité de voler, elle offre aussi une autre façon de se transporter ailleurs. Ces merveilleux pouvoirs viennent pourtant loin dans les considérations de Raymond : quand il me parque devant, il ne cherche pas à stimuler mon cerveau, mais plutôt à garantir la tranquillité : sans stimulation, je m'ennuie et il m'arrive alors de crier pour attirer l'attention. Il m'arrive aussi de crier quand on me fait jouer de la musique, parce que j'aime les rythmes ou mélodies et ne peux résister à l'envie de les accompagner. La télévision, elle, me garde coite.

— Je comprends, Raymond. Ça me fend le cœur, mais je comprends. Moi, j'étais prise entre l'arbre et l'écorce, comme on dit.

— Penses-y plus, maman.

Ils se regardent en souriant. Puis, saisissant à deux mains la tête de son fils, Colette l'abaisse, pose sur chaque joue piquante un baiser et clôt la discussion d'un merci ému, quasi inaudible.

Mes propres joues ne demeurent pas longtemps en reste. Son aplomb retrouvé, Colette tourne son attention vers nous, les enfants, et j'en ai pendant quelques minutes l'exclusivité — le temps qu'il faut à Raymond pour monter à l'étage et en redescendre avec Safiya nichée dans ses bras.

Magalie suit quelques pas derrière. Colette délaisse aussitôt le bébé pour aller vers elle. Elle la serre longuement et très fort. Ensuite, les bras ouverts, leurs mains offertes l'une à l'autre, les deux femmes entrelacent leurs regards pour quelques secondes de communication extralucide, cœur à cœur. Raymond se détourne. Il sent bien, comme moi, qu'il n'y a soudain plus assez de place dans le séjour. Tout en faisant sautiller Safiya, qu'il tient fermement sous les aisselles, il se replie vers la cuisine.

Benoît émerge à ce moment-là de la cave, où il s'était terré pour jouer à ses jeux mystérieux de garçon. Je signale vocalement son arrivée, rompant la connexion entre Colette et Magalie.

— Enfin, te voilà! lance Colette d'une voix taquine.

— Bonjour, grand-maman.

— Viens ici que je t'embrasse. Eh bien, quoi? Ne fais pas le poireau, déguédine!

Depuis quelque temps, les effusions gênent Benoît. Il ne veut plus être câliné comme un petiot. Il n'a pas dix ans, mais croit avoir passé l'âge. Il lit aussi seul entre les draps le soir venu maintenant. Cela n'empêche pas Colette de le capturer dans ses tentacules grand-maternels, puis de le bécoter jusqu'à ce qu'il implore sa grâce. La rigolade qui s'ensuit déchiquette les dernières ombres obscurcissant les recoins de la maison et des cervelles.

Safiya passe des bras de Raymond à ceux de Colette. On sert le café. On s'assoit confortablement et, une fois de plus, Magalie détaille devant public le déroulement de la naissance en ne manquant pas d'insister sur le bilan de santé de ma sœur : un bilan parfait.

— Il n'y a eu aucune complication, pas même une trace de jaunisse. Moins de quarante-huit heures après l'accouchement, j'étais de retour à la maison.

Chaque fois qu'elle ou Raymond glorifie la bonne santé de Safiya, j'entends : « Toi, tu es inadéquate. » Ils ne me cracheraient jamais un tel venin. Sauf que leur fierté pour sœurette m'empoisonne tout autant, différemment ; moi, je ne peux espérer en inspirer pareille, et bien qu'étant, pour l'instant, en tous points aussi inutile et vulnérable que moi, Safiya me surpasse déjà. Ils prisent sa délicate perfection, porteuse de mirifiques promesses. J'ai du mal à ne pas la jalouser. Pour chasser l'envie, je pense à tout ce que je pourrai lui enseigner, si tant est qu'elle m'y autorise : comment voyager sans billet, voir le vrai de ses trois yeux, converser avec l'univers à travers les mailles du silence...

Après ce retour sur l'accouchement et les premiers jours de la nouvelle-née, grand-mère présente à Magalie une boîte enveloppée de papier à motifs, enjolivée de cascades de rubans roses, jaunes et blancs. Magalie défait avec précaution l'emballage, afin de pouvoir l'ajouter à l'impressionnante collection de papiers, rubans et boucles dans la vieille malle bleue que je sais rangée au sous-sol, où elle puise pour emballer elle-même des cadeaux. L'opération prend quelques minutes. Elle irrite considérablement Colette. « Mais déchire, déchire ! » la houspille-t-elle. Magalie aplanit et plie le papier, le met de côté et, finalement, soulève le couvercle de la boîte révélant une couverture rose en tricot ajouré.

— Elle est magnifique, Colette. Un jour, il faudra que tu m'apprennes.

Elles se parlent à présent comme des amies.

— Rien ne me ferait plus plaisir.

Magalie bâille bruyamment.

— Oh ! Excuse-moi !

— Tu es exténuée. Ça se voit et, si ça continue, les cernes sous tes yeux vont t'aller aux oreilles !

— Les nuits sont plutôt courtes.

— Corinne aussi m'a paru cernée.

— Elle ne dort pas très bien. Elle a mal, mais je ne sais pas où. *I wish I knew.* Nous ne savons plus dans quelle position la coucher pour l'arrêter de rechigner. Elle n'a pourtant pas d'ecchymose, pas de plaie ni d'enflure visible. La douleur semble moins pire depuis deux ou trois nuits, mais nous voulons quand même consulter. Il faut que je prenne rendez-vous avec sa médecin. Je n'ai pas envie d'aller à Montréal seule avec les deux filles, mais je n'ai pas vraiment le choix. Raymond ne peut pas se libérer ces temps-ci.

— Il ne t'est pas venu à l'idée de demander une gardienne?

— Guylaine, notre gardienne habituelle, n'est pas...

— Nunuche! Je parle de moi. Je suis parfaitement capable de garder Safiya pendant que tu vas à Montréal avec sa grande sœur. Tu ne sais donc pas que donner du répit à la mère de mes petits-enfants est ma première responsabilité comme grand-maman? C'est dans la description de tâches universelle des grands-mères!

— Merci, répond Magalie. Merci beaucoup.

Elle a posé sa main sur l'avant-bras de Colette. Quoique grave, son expression traduit un soulagement immense, sous lequel j'entrevois une affection sincère, presque filiale. Elle n'a plus à craindre d'être jugée : Bertrand a déjà rendu son jugement, et Colette est quand même venue. Sur la cheminée, grand-mère Brunehilde parmi ses roses acquiescerait-elle? L'éclat dans ses yeux m'apparaît intensifié.

L'après-midi passe vite. Bientôt, vient pour Colette l'heure de retourner auprès de Bertrand. On s'échange de francs et joyeux aurevoirs avant de retourner chacun à son ordinaire.

Dans les heures et les jours qui suivent, je tente de communiquer à mes parents deux faits cruciaux : premièrement, que la visite prévue chez la docteure n'a plus sa raison d'être, puisque ma hanche luxée est, enfin, en voie de rétablissement ; deuxièmement, que Benoît s'évade de la maison le soir, alors qu'on le croit endormi. J'ai beau télépather, pleurer, gesticuler, mes parents ne saisissent pas. Seule Safiya semble recevoir mes signaux : durant les brefs moments d'éveil où elle se trouve à proximité de moi, je la vois tourner sa petite tête brune dans ma direction et me fixer avec un air sagace. Mais Safiya, bien sûr, ne possède pas encore la capacité de relayer mes messages à leurs destinataires. Quant à mes interpellations en pleine obscurité, afin de dénoncer sur le vif le fugueur, elles font vite perdre patience à Raymond, qui s'en remet à Magalie :

— Essaie, toi ! Moi je ne comprends pas, lance-t-il du pied de l'escalier après m'avoir retournée pour la nième fois.

— Chut ! fait Magalie d'en haut. Tu vas réveiller les autres… Tu lui as proposé de l'eau ? Peut-être qu'elle a tout simplement soif.

De phrase en phrase, la voix se fait plus proche, m'indiquant la progression de ma mère du haut vers le bas de l'escalier.

— Et comment je le saurais, au juste ? demande Raymond plus bas.

— En général, elle tire la langue quand elle a soif.

Magalie pénètre avec Raymond dans ma chambre. Je n'ai pas soif ; je ne tire pas la langue. Elle porte quand même à mes lèvres un verre que je refuse.

— Alors ?

— Je ne sais pas, Raymond. Je ne suis pas devin.

— Tu donnes pourtant l'impression que tu l'es, parfois.

Pendant qu'elle m'offrait à boire, Benoît a repris en douce le chemin de son lit. Il ne risquera pas l'escapade cette fois. Demain, il réessaiera. Où court-il ? Je ne sais pas. Serait-il, comme moi, tenaillé par quelque chose et incapable de le communiquer ?

Un matin de la même semaine, à moins que ce ne soit la semaine suivante, je n'en suis pas certaine — quand un questionnement, un rêve ou un objet me fascine, il éclipse tout le reste, à commencer par les indices ténus sur lesquels s'appuient les adultes pour mesurer et quantifier obsessionnellement le passage du temps. Un matin, donc, Magalie et moi prenons la route de la grande ville, tandis que Safiya et Colette restent seule à seule pour une séance de cajolage.

D'accord, me dis-je durant le trajet, la consultation est superflue, mais ce sera l'occasion de saluer la docteure Perrot, qui est plutôt sympathique même si elle exerce la profession que j'exècre le plus après celle de physiothérapeute. Je reste bouche bée quand la médecin insiste pour m'équarrir au bistouri. Elle a une vision très restrictive de l'aspect que devrait présenter ce corps. À l'évidence, elle n'a jamais pris le temps de contempler les arbres.

— La bonne nouvelle, c'est qu'il n'y a pas de dislocation ou subluxation de la hanche. Vous voyez ? dit-elle en plaçant une radiographie sur l'écran lumineux monté au mur. La tête du fémur est en bon état. Le problème était sans doute musculaire, puisqu'il est en voie de se résorber de lui-même. Ce qui m'inquiète, c'est sa scoliose. Elle progresse beaucoup plus vite que je ne m'y attendais.

Les arbres, on en trouve de toutes les formes dans la nature : des petits, des grands, des croches et des droits. Il n'y a rien de plus triste qu'une forêt plantée d'arbres clones, tous pareils, rectilignes.

— La déviation atteint maintenant soixante-sept degrés.

La docteure illumine une autre radiographie, puis déballe son plan : en rafale, des chirurgies pour redresser ma colonne vertébrale et relâcher certains tendons. Elle dessine des croquis afin d'expliquer clairement le déroulement des choses à Magalie.

Je suis trop loin du bureau pour bien voir. Je comprends qu'un séjour prolongé à l'hôpital m'attend, ce qui supposera forcément des piqûres, des tubes et des perfusions. Et qu'entends-je? La docteure veut m'agrafer une tige de métal dans le dos? Quelle idée débile... Cela va se mettre à rouiller, la rouille va contaminer mes viscères et j'aurai constamment un goût de vieille épée mouillée dans la bouche.

L'indignation stimule mes glandes salivaires, qui s'épanchent plus abondamment que de coutume.

— Vous savez, dans ce genre de situation, nous travaillons toujours en équipe. J'aimerais discuter du cas de Corinne, explorer les options avec mes collègues pour trouver l'approche optimale.

Je tâche d'ignorer ma bave pour darder mentalement les dames de mes objections. Je leur lance des regards courroucés, que Magalie méprend comme l'expression d'un inconfort physique. Elle se lève et me repositionne.

— Comme vous, je ne pensais pas qu'il nous faudrait en venir aussi tôt à cela. Mais je crois que nous ne devrions plus tarder, conclut la docteure sans une pointe d'émotion. Malgré le verticalisateur et le corset-siège, la déviation continue de s'aggraver. Une symétrie accrue voudra dire un plus grand confort pour Corinne, et une meilleure fonction respiratoire.

Magalie lui demande de patienter un peu : les grands travaux de redressement appellent, tout au moins, une concertation conjugale.

— Bien sûr… Discutez-en avec votre mari.

L'une après l'autre, elles se lèvent.

— On se reparle bientôt.

Et elles se serrent la main. Leur volonté sera faite. Je n'ai qu'à m'y plier.

Nous quittons la docteure et son île. Au bord du fleuve, de noirs oiseaux aux épaulettes rouges interrompent un instant leurs charroyages pour échanger avec moi un regard de connivence. Merci ! Merci mes amis les carouges ! Vous avez raison, bien sûr : je suis libre. Je m'envolerai, donc. Je laisserai les sarraus-blancs piquer, ciseler et visser tranquilles, alors que moi, je volerai ailleurs, loin de là, au grand soleil, me gavant au passage de baies vermeilles.

À cette pensée, je sens décoller une parcelle de moi, mon étincelle. Elle s'échappe par la fente au sommet de mon crâne tandis que des spasmes violents secouent mes membres. Je n'avais pas vraiment prévu cet envol. Cela explique peut-être sa brutalité : mon émotivité a gelé les commandes.

Je me tiens tout près.

Mes soubresauts secouent aussi Magalie, par réverbération. Elle verdit. Vite, elle range le véhicule sur l'accotement. En quelques secondes, elle me détache et me couche sur le côté, ainsi qu'on le lui a recommandé, pour empêcher que je ne m'étouffe avec ma bave. Je demeure dans ses parages dans l'espoir que ma présence apaise ses inquiétudes. Je voudrais, une fois pour toutes, lui instiller que l'oiseau étirant ses ailes ne se prépare pas forcément à l'ultime envolée.

Ses cuisses offertes comme oreillers, elle me caresse le dos en attendant la fin de l'épisode. Doucement, je redescends. Je replie mes ailes. J'éprouve alors le poids glacé des chairs exposées trop longtemps à la bise, le poids des quatre membres que je me réapproprie dans la nausée. Magalie me laisse quelques minutes pour reprendre des forces et me réorienter, puis elle me redresse avec précaution, m'attache et reprend le volant.

Le reste du trajet se passe sans incident. Magalie attend que nous ayons soupé et que Benoît retourne jouer dehors pour exposer fidèlement, et sans interruption, le plan de la docteure à Raymond.

— Nous savions qu'il faudrait probablement en venir là, dit-elle.

Assise sur un tabouret au bout du comptoir, elle guette la réaction de Raymond, qui tarde à venir.

— Tu ne dis rien ?

Raymond s'affaire à rincer les assiettes sales, qu'il range ensuite une à une dans le lave-vaisselle.

— Je ne sais pas.

— Raymond !

— Tu sais ce que je pense des excès de zèle des médecins.

— Je sais ce que tu penses des médecins tout court.

— Ils se cherchent toujours des cobayes.

— Des cobayes ? Il n'est pas question de chirurgie expérimentale, de faire de notre Corinne une *Bionic Woman*.

Raymond repousse les paniers du lave-vaisselle dans leur position de lavage ; ils s'immobilisent au fond de leurs glissières avec un claquement.

— La *Femme bionique*, tu regardais ça, toi ?

— N'essaie pas de changer de sujet, Raymond.

Le regard de Raymond balaie le comptoir en quête d'une tasse, d'une fourchette ou d'une soucoupe oubliée.

Je me demande qui donc est cette femme dont ils parlent et, surtout, pourquoi on voudrait faire de moi quelqu'un d'autre. Je suis qui je suis. Je croyais que, pour Magalie au moins, cela suffisait — jusqu'à ce matin.

— Pourquoi faire souffrir Corinne inutilement ?

— Il s'agit plutôt de lui éviter des souffrances…

Magalie pince la racine de son nez entre ses doigts, puis revient à la charge.

— Tu sais comme moi qu'elle tolère de moins en moins longtemps la position assise. Elle proteste.

Raymond hausse les épaules.

— Peut-être qu'elle n'aime tout simplement pas son foutu corset-siège et réclame qu'on la remette en liberté, dit-il.

— Son corset-siège ? C'est toi qui ne l'aimes pas !

Raymond prend un linge et tourne le dos à Magalie pour essuyer le comptoir. Il tourne le dos à la conversation. Magalie est cependant bien déterminée à aller jusqu'au bout.

— En théorie, elle devrait commencer l'école à l'automne, mais tu sais comme moi qu'elle est incapable de passer une journée assise, pas sans douleur. Penses-y… À sa place, tu voudrais aller en classe comme les autres enfants, non ?

Raymond à ma place ? Je ne peux l'imaginer ! Il a reposé le linge. Je scrute ses larges épaules, son dos voûté. Il s'agrippe au comptoir. Il se tait toujours.

— La chirurgie devrait aussi l'aider à mieux respirer, dit Magalie. Ses poumons sont écrasés. Elle l'a échappé belle, l'hiver dernier. Mais la prochaine fois qu'elle attrape une grippe et que la grippe vire en pneumonie parce qu'elle n'arrive plus à éliminer les sécrétions… Si elle y restait ? Si on la perdait ?

Raymond se retourne enfin. Il s'avance vers Magalie et lui prend les mains.

— Est-ce que ça serait une si mauvaise chose?

— Raymond!!!

Horrifiée, Magalie retire vivement ses mains.

— Je crois que tu connais Jaqueline Cordeau, dit-il.

— Je la croise de temps à autre au centre commercial et il nous est arrivé de parler des services disponibles dans la région. Elle est une bonne source d'information.

— Elle t'a parlé de ses démarches afin de trouver de l'hébergement pour son fils?

— Oui.

— Tu sais ce qui m'a le plus frappé dans son histoire? demande Raymond.

Magalie secoue la tête. Raymond reprend :

— Quand son Denis était jeune, on se bousculait presque pour l'aider. La famille, la paroisse, l'hôpital pour enfants… Tout le monde avait la volonté de faire *quelque chose*. Maintenant, elle doit se battre pour tout. Le système n'est pas équipé pour répondre aux besoins des adultes lourdement handicapés, et personne n'est ému par leur sort. Les téléthons, on les fait pour les enfants, pas pour les grands Denis.

Le silence retombe. Ils se regardent quelques instants sans bouger. Puis, d'une voix tendue, Magalie demande :

— Qu'essaies-tu de me dire, Raymond? Tu espères que notre Corinne ne parviendra pas à l'âge adulte pour nous épargner des problèmes?

Il soupire, puis secoue la tête en haussant les épaules. Magalie s'est raidie. Elle étudie le visage de l'homme en face d'elle, celui à qui elle a choisi aveuglément d'unir sa vie pour le meilleur et pour le pire.

— Tu ne vas pas me faire croire que ça ne t'a jamais effleuré l'esprit, dit-il.

Et le pire, c'est moi.

CHAPITRE 8

À chaque rose sa jardinière
ou son protecteur

— BONJOUR MON OISEAU, c'est grand-maman.

Grand-mère Colette écarte le rideau qui circonscrit l'îlot de blancheur où j'ai échoué.

— Comment vas-tu aujourd'hui ? Tu as meilleure mine qu'hier.

Quel bonheur de la voir ! J'étais seule quand j'ai ouvert les yeux tout à l'heure. Je ne savais plus où j'étais : il fallut quelques minutes pour que me reviennent en mémoire les images de mon admission à l'hôpital, de ma première nuit loin des miens et de la salle au mobilier chromé où un étrange engourdissement s'empara de moi.

Si au moins quelqu'un m'eût expliqué en détail ce qui allait se passer, sans diluer.

L'engourdissement prit naissance dans ma bouche. Il gagna vite mes bras et mes jambes, où il se répandit avec un pétillement de coka. Je songeai : « C'est donc ça, l'anesthésie…» Mon impression suivante en fut une de pesanteur. Entre les deux, j'ai perdu un pan du temps.

Quand je repris conscience, j'étais dans une salle différente. Disparus, les médecins masqués, et avec eux mes forces vives : ils les avaient siphonnées. Tout ça pour mon bien, selon tous ces soignants.

Grand-mère glisse doucement ses doigts sous ma main droite et l'enveloppe dans la sienne. La chaleur de sa peau m'agresse ; je tente de m'y soustraire.

— Ah ! J'aime donc pas te voir comme ça… J'ai demandé aux infirmières de te détacher, mais il semblerait, p'tite vlimeuse, que tu as essayé d'arracher tes tubes.

Je n'en ai aucun souvenir.

— J'ai parlé à tes parents tout à l'heure. Ça, c'est de la part de ta maman, dit-elle en baisant avec précaution ma joue. Et ça, de la part de ton papa, ajoute-t-elle avant d'embrasser mon front.

Raymond m'embrasse uniquement quand il en reçoit l'ordre. Le baiser est, à n'en pas douter, une idée de Colette : elle veut me persuader qu'on ne m'a pas bannie ; que, malgré mon éloignement (soi-disant temporaire), je continue d'appartenir à la famille Larose.

— Ils voudraient bien être ici, auprès de toi, mais ton père doit travailler et ta mère, elle, doit s'occuper du bébé.

Sous un mince voile de larmes, les iris gris de grand-mère rayonnent de douceur. Le recel de baisers serait-il un des moyens qu'a trouvés Raymond pour garder fermées ses vannes lacrymales ? Le visage lisse et poli comme les stèles de marbre dressées pour les morts, il projette au monde une image de force. Pour lui, de fait, ne suis-je pas quasi morte, et depuis longtemps ? Quoi qu'il ressente, il l'enterre afin de rester un roc pour sa famille.

Du roc, j'ai quant à moi acquis la densité et la pesanteur. Mais une pierre ne ressentirait pas de douleur, du moins les adultes prétendent-ils les pierres insensibles.

Mes paupières redeviennent trop lourdes pour que je garde plus longtemps les yeux ouverts.

— Vas-y, ferme les yeux, repose-toi. Grand-maman veille sur toi.

Lasse, je me sens glisser à nouveau dans l'inconscience. Cette fatigue n'aura donc pas de fin ?

Quand j'ouvre à nouveau les yeux, plus tard, beaucoup plus tard, Colette tricote, assise sur une petite chaise droite à mes côtés. J'ai soif. J'ai mal. Je veux attirer son attention, mais je ne parviens pas à tirer un seul grognement de mon gosier intubé. Mon corps ne m'obéit plus du tout. Je le sens si lourd. Je sens le poids du métal dans mon dos.

Grand-mère regarde sa montre, puis lève les yeux vers moi.

— Mon oiseau, il faut que je parte. Il faut que j'aille faire souper ton grand-père, mais je vais revenir demain. Promis.

Elle m'embrasse et s'en va sur la pointe des pieds, pour empêcher ses talons de claquer. Son oiseau ! Il ne manque pas d'ironie, ce surnom par lequel elle choisit d'exprimer son affection maintenant que je crains justement de ne plus jamais goûter aux joies du vol non propulsé. Non contents de me couper les ailes, les chirurgiens m'ont ligotée. Je ne vaux guère mieux que les poulets qu'on engraisse en cage, incapables de voler ou de tenir sur leurs pattes : promis à l'abattoir.

On finit néanmoins par enlever un à un les tubes, par libérer mes mains et par m'installer dans une vraie chambre. Je partage cette chambre avec une adolescente taciturne du nom de Marie-Ève, qui écoute toute la journée des disques sur son baladeur. Je l'envie. Je voudrais bien pouvoir me réfugier comme elle dans ma bulle musicale.

Marie-Ève s'en va au bout de quelques jours, remplacée par Victoria, puis Nathalie et puis… Je ne sais plus. Entre-temps, on me fait subir une autre chirurgie. J'arrête de m'intéresser à mes voisines qui, de toute façon, m'ignorent et s'en vont avant que je puisse les apprivoiser.

Moi aussi, je veux partir. Quand donc viendra mon tour?

Magalie et Raymond me visitent de temps en temps, sans mon frère ni ma sœur. J'ai chaque fois espoir qu'ils me ramènent à la maison. Ils restent une heure, parfois deux. Après quoi Raymond se met à faire les cent pas, à se plaindre que ça pue et à regarder sa montre. Magalie se dépêche alors de ramasser ses affaires et de m'embrasser. Puis ils m'abandonnent à la solitude de cette cellule, où je commence à oublier qui je suis. Plus tard, je les imagine attablés tous les quatre, la famille parfaite, pendant qu'un préposé me bourre de purée insipide; purée que mon estomac restitue en tout ou en partie, une fois sur deux.

Grand-mère, elle, continue ses visites quotidiennes. Grâce à elle, je ne suis pas qu'une malade. Elle essaie d'arriver assez tôt pour me faire manger le repas du midi, pour qu'au moins une fois par jour, je ne me sente pas bousculée. Elle sait que, si je refuse une cuillerée en détournant une première fois la tête, elle doit attendre un peu avant de m'en présenter une autre et que trois refus successifs veulent dire : «Merci, je n'ai plus faim». Je restitue rarement ces repas-là. Parfois, elle les fait suivre d'un ou deux carrés de chocolat (ma sucrerie préférée, parce qu'elle fond dans la bouche et descend l'œsophage en douceur). Elle dit que c'est pour mettre de la graisse sur mes os. Si j'engraisse assez, peut-être que la gaine ne me fera plus.

La gaine, c'est le nom que je donne à l'étrange sous-vêture de plastique et de mousse que l'on m'oblige maintenant à porter. Mon chirurgien l'appelle « corset orthopédique ». Il en constata d'un air très satisfait l'ajustement la première fois qu'on me l'enfila. Il osa même parler de confort. Évidemment, il n'en porte pas, lui, de corset… Je lui aurais bien lancé la chose à la tête, si j'avais pu. Encore heureux qu'on ne m'ait laissée plâtrée des épaules à la taille ! Pendant quelques minutes, de fait, j'escomptai le pire ; toutefois, aussitôt le plâtre séché, on m'en extirpa avec scie et ciseaux. Une conversation entre Colette et mes parents m'a permis depuis de comprendre qu'il avait servi à mouler ma gaine.

Outre du chocolat, Colette m'apporte aussi des livres et me fait la lecture. Elle est une lectrice hors pair, qui sait moduler sa voix pour mieux donner vie à chaque personnage. À la maison, Magalie me lit encore des histoires de bébé. Je les connais depuis longtemps par cœur. Elles m'assomment. Grand-mère, elle, choisit des lectures plus substantielles. Chacune nous transporte dans un monde nouveau — aujourd'hui, sur l'astéroïde du Petit Prince. J'y voyage à l'abri des piqûres, des bistouris et des corsets. En visite chez nous, le Petit Prince rencontre un aviateur et, de lui, il reçoit cette révélation :

> *Les grandes personnes ne comprennent jamais rien toutes seules, et c'est fatigant, pour les enfants, de toujours et toujours leur donner des explications.*

Des explications qu'elles écoutent rarement, ajouterai-je ! Mais, comme à toutes les règles, il y a, bien sûr, des exceptions. Colette a compris toute seule la nécessité de sa présence à mon chevet.

Elle me regarde et me sourit. Pour l'encourager à poursuivre sa lecture, je hoche la tête en répétant plusieurs fois «Petit Prince». Dans ma bouche, les mots ne sont que des couacs. Elle comprendra quand même, j'ose croire.

Colette replace mon oreiller et me donne à boire un peu d'eau glacée, puis elle se remet à lire.

Ma fleur est éphémère, se dit le petit prince, et elle n'a que quatre épines pour se défendre contre le monde! Et je l'ai laissée toute seule...

Une infirmière pousse la porte de la chambre et entre sur la pointe des pieds.

— Je vous en prie, ne vous arrêtez pas...

Elle prend mon pouls et ma température. Grand-mère lit.

«Où sont les hommes?» reprit enfin le petit prince. «On est un peu seul dans le désert...»
«On est seul aussi chez les hommes», dit le serpent.

L'infirmière s'en retourne. Grand-mère continue d'égrener les mots, les paragraphes et les pages.

Mon regard glisse vers le lit d'en face, temporairement vide. On est seul aussi chez les hommes en blanc, surtout la nuit, une fois les lumières éteintes. Que je le veuille ou non, la nuit viendra. Elle ramènera les papillons noirs, qui proliféreront et infesteront tout. À moins que d'ici là une autre patiente n'arrive en renfort. Nous serions ainsi, une fois de plus, deux à les chasser. À défaut de les éradiquer, on peut les contenir, à deux. Pas besoin de se parler; d'instinct, chacune comprend la gravité de la menace et les enjeux de la chasse.

À la maison, je n'ai jamais craint l'obscurité de ma chambre, dont je connais tous les objets et recoins. Dans cette chambre-ci, les objets vont et viennent. Je les crains cependant moins que les mains gantées, responsables de leurs déplacements.

Les mains surgissent n'importe quand. Les pires sont celles de l'aurore. Ces mains-là vous tirent cruellement du sommeil pour prélever à votre corps quelques millilitres de sang ou enfoncer un instrument trop gros ou trop froid dans l'un de vos orifices. La pensée de ces mains retarde nuit après nuit mon sommeil ; pour les priver au moins de l'effet de surprise, je me contrains à veiller, écoutant les pas furtifs dans le corridor : leur direction, leur vitesse et leur proximité me fournissent des indices sur l'imminence des intrusions.

Colette referme le livre. L'histoire est finie : le Petit Prince est reparti, car il avait sa rose à protéger. Elle en a de la chance, cette rose, de pouvoir compter sur un protecteur aussi dévoué, me dis-je en regardant Colette se préparer à partir.

Moi, je bénéficie de sa protection à elle. Seulement, je voudrais la convaincre de passer la nuit.

— Je te vois demain, mon oiseau. D'ici là, je serai avec toi en pensée.

Tandis que la nuit descend sur la ville au dehors et que, au dedans, voix et pas vont se raréfiant, j'évoque l'image de Colette assise près de moi. En me concentrant bien, je peux sentir sa présence, qui fait écran aux papillons noirs. Tant que sa pensée demeure à mes côtés, je ne suis pas vraiment seule ; je peux dormir tranquille.

Le lendemain, Colette pousse la porte de ma chambre vers onze heures. Elle me trouve en compagnie d'Estelle.

— Bonjour, vous devez être Madame Larose, la grand-mère de Corinne ?

— On peut rien vous cacher !

Estelle se lève à demi et lui tend la main. Elle décline, en ordre, ses prénom, nom et titre. Après une petite entrée en matière, elle explique son rôle dans mon plan thérapeutique.

— J'ai apporté un tableau de communication, qu'on appelle dans notre jargon un tableau Bliss. C'est un des outils qu'on utilise en orthophonie avec les enfants non verbaux et ceux qui ont des difficultés d'élocution graves. Éventuellement, on pourrait même envisager un synthétiseur vocal, qui ouvrirait à Corinne l'accès au vaste monde de la parole.

Les mains de l'orthophoniste dessinent, dans l'espace entre nos corps, un grand arc symbolisant cette vastitude. Me voilà prête à tout pour qu'elle m'en ouvre l'accès. Un sourire intrépide illumine son visage.

— Rien ne me ferait plus plaisir que d'entendre Corinne parler, dit Colette.

Sous ses paroles, je sens une réserve : dans sa sagesse d'aînée, elle ne salive pas avant que les fruits n'aient été cueillis, tranchés et posés sur son assiette.

— Mais ne brûlons pas d'étape. Pour commencer, le tableau Bliss lui permettra au moins d'exprimer ses besoins et d'avoir des conversations simples. J'ai vu des enfants changer du tout au tout grâce au Bliss. Ils sont, pour ainsi dire, sortis de leur coquille.

Estelle s'adresse ensuite à moi.

— Corinne, tu n'as pas objection à ce que je reprenne la leçon depuis le début pour ta grand-mère ?

Dans la langue de grand-père Farah, *bliss* signifie félicité. Je me demande si les symboles rempliront la promesse contenue dans leur nom ou si, à l'instar d'autres aides techniques, ils s'avéreront un supplice déguisé.

Estelle invite Colette à se placer près de moi, de sorte que nous puissions voir toutes trois les cases colorées du tableau, sur lequel s'alignent des pictogrammes et des idéogrammes : « oui », « non », « soleil », « maison », « faim », etc.

— Ce sont les symboles les plus courants, mais le Bliss en compte plus de deux mille. À mesure que Corinne grandira, on pourra enrichir son vocabulaire.

Estelle repasse les premiers symboles en utilisant chacun en contexte, pour m'aider à les mémoriser.

— Maintenant, Corinne, voyons si tu as bien écouté la leçon.

Elle pose mes bras sur le tableau et me demande de pointer le pictogramme correspondant à « maison ». Puis, elle ajoute à l'intention de Colette :

— Comme je n'ai encore jamais travaillé avec Corinne, je dois apprendre à la connaître, jauger ses capacités motrices et intellectuelles. Il faut aussi garder en tête le fait que ses capacités pourraient être plus ou moins affectées par son coquetel médicamenteux.

Mes bras restent immobiles. D'impatience, je tente de secouer la tête.

— Elle n'a pas assez de contrôle pour pointer, dit Colette.

— Pointer, peut-être pas avec ses doigts… Mais, sans ce corset, elle pourrait le faire avec sa tête, je crois.

En réponse à l'expression interrogative de Colette, Estelle précise :

— Avec une baguette montée sur un casque. Pour l'instant, essayons de procéder par élimination. Corinne, est-ce que c'est lui, le pictogramme de « maison » ?

Estelle a posé son index sur un petit rond : le symbole pour bouche. Je fixe impassiblement son doigt, lequel elle finira par déplacer, je suppose.

— Qu'attendez-vous d'elle au juste?

— Chut! Un peu de patience... Corinne, est-ce que c'est plutôt lui, le pictogramme de « maison »?

— C'est trop compliqué, ce que vous lui demandez. Vous voyez bien qu'elle n'est pas capable de...

— Ah! regardez-moi ce grand sourire, Madame Larose. Vous croyez pas que Corinne essaie de nous dire quelque chose?

Ébahie, Colette lève les sourcils. Je me prête pendant quelque temps à ce manège. J'identifie de la même manière les pictogrammes pour nez, main et chaise, puis mon attention dérive vers Nancy, ma nouvelle compagne de captivité. Elle rétrécit à vue d'œil sur son lit, tandis que, de colère, enflent ses père et mère.

Pendant un bref intermède, nos regards se croisent. Nancy me fait penser à la princesse de l'atoll où mon imagination me transporte souvent. Elle a son physique élancé de ballerine et sa tournure orientale, mais exsude une mélancolie telle qu'on n'en connaît pas là-bas. Nancy voudrait être ailleurs, n'importe où, sauf entre ses parents. Je voudrais lui dire que l'atoll accepte toutes les réfugiées : il m'est arrivé d'y passer des journées entières. Hélas! il manque à mon tableau les pictogrammes qu'il faut. Fantasmagorique et merveilleux brillent par leur absence. Au mieux, j'approximerais le message visé et, encore, me faudrait-il pouvoir compter sur la disponibilité et la patience de mes aides (deux denrées éminemment imprévisibles) afin d'identifier par élimination les cases appropriées. Que de tâtonnements pour quelques mots! On est bien loin de la félicité.

Certes, malgré tous leurs mots, les parents de Nancy ne semblent pas davantage capables de se comprendre. Tandis que Magalie décode déjà sans adjuvant la majorité de mes besoins et de mes émotions. Pourquoi nous embarrasserions-nous de pictogrammes?

Je prédis que le tableau se retrouvera au fond d'un placard dès mon retour à la maison. Car, en fin de compte, mon mutisme arrange tout le monde : il permet à chacun et chacune de faire selon sa volonté, sans interférence de ma part; et moi, ainsi libérée de toute obligation de présence, je peux m'envoler quand l'envie me prend d'aller voir ailleurs.

— Je crois que ça suffit pour aujourd'hui, dit Estelle à l'intention de Colette.

Puis, à mon intention, elle ajoute :

— Tu en as assez?

— Vous croyez vraiment qu'elle comprend? Je veux dire, j'ai toujours parlé à Corinne comme à mes autres petits enfants, même si elle ne répondait pas, même si je ne savais pas dans quelle mesure elle comprenait. À mes yeux, c'était important : je me disais que, comprenure ou pas, elle pouvait à tout le moins reconnaître ma voix, sentir l'amour derrière les mots...

Estelle me relance :

— Tu es fatiguée ou est-ce plutôt que j'ai perdu ton intérêt?

Son ton badin tranche avec le sérieux de grand-mère.

— Hum... je vois! dit-elle avec un rire dans la voix.

Elle secoue quelques fois la tête, puis la tourne vers Colette. Son expression change instantanément. Un lourd et invisible manteau appesantit ses épaules.

— Comme vous l'avez vu aujourd'hui, Corinne n'est pas, pour reprendre votre expression, «sans comprenure».

Assise sur le bout de sa chaise, pieds et jambes serrés, Estelle prend une longue inspiration avant de poursuivre. Elle crispe les mains sur ses cuisses et fixe grand-mère qui, toujours debout, la dépasse de trois bonnes têtes. La plupart des adultes refusent de s'engager dans une discussion sérieuse en position d'infériorité verticale, ai-je remarqué (à moins de n'avoir d'autre choix, par exemple quand ils comparaissent devant un tribunal). Estelle aurait pu se lever ou inviter Colette à prendre une chaise. Elle ne l'a pas fait. Elle a choisi de rester à mon niveau, assise.

— Ses réactions aujourd'hui m'indiquent qu'elle a compris l'utilisation du tableau et qu'elle a la capacité d'apprendre et de reconnaître des symboles.

— Selon mon fils, elle a l'âge mental d'un bébé.

— Je ne saurais pas vous dire quel est au juste l'âge mental de Corinne. Il faudrait pour cela faire des tests plus poussés. Il est vrai que la paralysie cérébrale s'accompagne souvent d'un déficit cognitif, surtout dans les cas lourds ; mais souvent ne veut pas dire toujours et, en ce qui me concerne, je préfère éviter les suppositions.

Les suppositions présentent autant de danger que les comparaisons. Rares pourtant sont les gens qui savent se prémunir contre ces pièges de leur fabrication. Nos têtes foisonnent de pièges. Même un heureux souvenir peut se muer en traquenard. Estelle le sait, j'en suis sûre. Elle marque une pause.

— Il y a une chose que vous devez comprendre, Madame Larose : il est très difficile d'évaluer l'intelligence d'une enfant comme Corinne, qui non seulement ne peut pas parler, mais qui a de surcroît une mobilité extrêmement limitée.

A-t-elle un petit frère ou une petite sœur qui me ressemble ? Elle ne divulguera rien de sa vie de l'autre côté de ces murs.

— Je la regarde... Ses yeux sont tellement brillants, tellement expressifs! dit Colette. Moi, en tous les cas, j'y vois de l'intelligence!

— Dans quelques mois, lorsque Corinne sera pleinement remise de ses chirurgies, il serait intéressant de tenter quelques tests.

Colette hoche la tête sans grande conviction. Raymond me traiterait autrement, je pense, si un test lui prouvait que mon potentiel mental se compare à celui d'une enfant normale. Possiblement. Enfin, j'espère.

Estelle s'en va au moment où commence la distribution des plateaux du repas. La suite procède selon un ordre maintenant bien établi : Colette prend mon plateau directement des mains du préposé, elle lit la petite carte afin de vérifier que le contenu répond à mes besoins nutritionnels et masticatoires, puis elle soulève le couvre-plat en acier inoxydable pour confirmer que les aliments correspondent à la description sur la carte.

— Mmm... ça l'air bon, feint-elle.

Un autre jour, ce sera « intéressant », « jolie couleur » ou autre chose dans le même registre. Elle ne ménage pas les efforts pour me mettre en appétit. Lorsque je suis bien installée devant ma table à roulettes, elle me livre sa chronique journalière tout en m'alimentant : en effet, pour elle, ne nourrit vraiment que le repas assaisonné de bonnes histoires. Combien lui manquent celles que ses enfants ramenaient à la maison et racontaient autour de la table, en se disputant les fonds de plat! Elle joue pour moi le rôle qu'ils jouèrent pour elle autrefois : elle me ramène des échos du dehors. Elle me parle d'une omelette baveuse servie sur le stationnement de l'épicerie, due à la sottise d'un commis à l'emballage; de la policière indulgente qui, au récit de mes épreuves, a déchiré la contravention qu'elle venait de lui dresser... Aujourd'hui, elle m'apporte des nouvelles fraîches de la ferme, où bébé Safiya a commencé à ramper.

— Si tout va bien, tu vas la voir bientôt! J'ai croisé ton chirurgien hier et il a promis de signer ton congé d'ici la fin de la semaine. Tu as hâte? Quelle question, bien sûr que tu as hâte! Je suis contente pour toi, mon oiseau, mais je vais m'ennuyer de nos tête-à-tête.

Je n'ai plus le tableau devant moi, pas de pictogrammes pour la remercier, même sommairement, de sa constante protection pendant mon internement. Sa voix tremble d'émotion et, comme aux premiers jours de sa garde, ses yeux s'embuent.

— C'était bon d'avoir une raison de m'habiller et de sortir de la maison le matin, dit-elle en redéposant la cuiller dans le bol de crème au chocolat synthétique à moitié vide. Crois-le ou non, tu m'as fait tout un cadeau.

Enfin, par un beau matin de septembre, vient mon tour de quitter l'hôpital. Magalie arrive peu après le petit-déjeuner. En quelques minutes, elle emballe mes affaires, y compris le tableau Bliss, et nous prenons la direction de la ferme. Elle est bavarde, Magalie. Moi, je n'écoute que d'une oreille. Je suis étourdie par la vastitude du monde comme un oisillon tombé du nid; j'étire mes ailes, mes précieuses ailes qui, par miracle, commencent à repousser.

Magalie essaie, par ses paroles, de me tirer à elle tandis que, moi, à ma grande surprise, je ne pense qu'à la distancer. Elle mentionne l'école, Safiya, un tuyau percé et les récoltes tardives. Je reconnais à peine la femme qui tient le volant. A-t-elle à ce point changé en l'espace d'un été ou sont-ce mes propres yeux qui voient autrement? Dans la nature, quand les petits quittent leurs parents, c'est pour de bon.

Magalie engage la voiture dans l'allée qui conduit à notre maison. La roseraie capte mon attention. Elle aussi a changé en mon absence : les plants, tout juste sortis de leur torpeur hivernale au moment de mon départ, sont maintenant couverts de fleurs et ont presque doublé de taille. Magalie les a bien soignés. Je pense au petit prince, retourné vers sa fleur qui n'avait que quatre épines pour se défendre. Si elle en avait eu huit ou dix ou douze, l'aurait-il aimée autant ?

Magalie a coupé le moteur et descend du véhicule. Raymond nous a entendues approcher. Il émerge de l'étable et vient à notre rencontre. Il porte sur son dos Safiya toute molle de sommeil, la tête nichée entre ses omoplates.

— Tu prends Safiya et je me charge de Corinne ? dit-il.

Magalie soulève avec précaution ma sœur du porte-bébé et la pose contre son cœur. La peau rose et veloutée de ses joues me fait penser aux pétales des violettes africaines : des fleurs sans épines qui ne piquent ni n'égratignent.

Dans les bras de Raymond, je retrouve les odeurs familières des bêtes et de la paille, mêlées à celle du détersif usuel de la famille. Je suis bien de retour. Je suis à la maison, parmi les miens. Alors, comment expliquer que je me sente étrangère ?

CHAPITRE 9

Deux jambes agiles valent mieux
que fin esprit

MAGALIE REGARDE nerveusement la plateforme
hydraulique me hisser dans le minibus jaune.

— Tu as fière allure! lance-t-elle par-dessus le bourdonnement aigu de la mécanique.

J'étrenne une petite veste à carreaux rouge avec cas-
quette assortie. Mon pantalon aussi est rouge. Tout comme
l'écharpe dans laquelle Magalie transporte Safiya.

— Je fais une dernière photo, regarde vers moi. Souris!

Oh, Magalie… Dans sa fébrilité, elle me fait penser
à une jeune chienne qu'on aurait affranchie de sa laisse
au pré. J'obéis tout de même. Au fond, je suis contente
de la voir s'emballer ainsi. Pour une fois que mon enfance
prend une tournure normale! Ça nous change des crises
de désespoir.

— Oh, je n'en reviens pas! Ma grande fille commence
l'école.

Safiya, yeux mi-clos, reste indifférente à l'agitation qui l'entoure. Elle suce son pouce. Magalie soulève une de ses menottes et la secoue vers moi en signe d'au revoir. Elle me souhaite de passer une bonne journée, m'enjoint pour la nième fois de ne pas m'inquiéter : les enseignantes s'occuperont bien de moi, le temps passera très vite et elle sera là pour m'accueillir ici même à ma descente d'autobus, dans quelques heures.

Les enseignantes, nous les avons rencontrées ensemble. Elles nous ont fait visiter l'école la semaine dernière : un vaste bâtiment de deux étages percé de larges portes et fenêtres.

Une secousse marque la fin de mon ascension tapageuse. Aussitôt, le chauffeur manœuvre mon fauteuil vers une des dernières places disponibles à l'intérieur et l'arrime au sol avec des courroies. Mon regard fait le tour des occupants : je semble être la benjamine de cette assemblée singulière. On me salue — de la voix, du regard ou d'un geste. Je réponds par un glapissement excité. Bonjour à vous compères écoliers et écolières !

Raymond pointe la tête hors de l'étable et me fait signe aussi de la main tandis que le véhicule se met en branle. Un silence relatif s'installe alors dans l'habitacle. De la première banquette, située derrière le chauffeur, me parviennent de temps à autre quelques syllabes. Y sont assis deux « grands », un garçon et une fille, grisés de ces hormones dont on dit qu'elles détraquent la raison adolescente. Aucune autre conversation n'anime le trajet. Trop terribles sont nos gênes et trop dissemblables nos modes de communication, je pense. Nous nous ressemblons autant que des abeilles, des maringouins et des hirondelles. Cela explique la confusion des bipèdes, les effroyables simagrées dont ils usent pour m'approcher et dont j'ai tantôt envie de rire, tantôt envie de pleurer : les tapettes sur la tête, l'incontinence onomatopéique, les mines d'enterrement, les bénédictions spontanées et les promesses de miracle (médical ou divin), voire les injures lancées à la volée.

La ferme disparaît de ma vue, puis la rivière. Nous nous engageons sur l'autoroute. Jusqu'ici, exception faite de mes séjours médicaux, Magalie m'a chaperonnée dans chacune de mes aventures en terrain inconnu. Me voilà lancée à la rencontre du monde sans protection. J'oscille entre crainte et curiosité. Je suis au moins habillée pour charmer.

Dans mon estomac, mon déjeuner fait des culbutes et des cabrioles. Le trajet dure. Mon école est loin, beaucoup plus loin que celle de Benoît qui, elle, n'est «pas équipée pour les besoins spéciaux». Je porte une main à ma bouche et mordille mon index tout en essayant de compter les voitures rouges dans la langue de grand-père Farah : *one, two, five…* Non! Non! Je me trompe. «Niaiseuse!» me lancerait Benoît — son mot favori depuis quelque temps, au grand dam de Magalie.

Mes glandes salivaires renchérissent. Tenace, la nausée! Je recommence à compter : *one, two, three…* La diversion fonctionnera-t-elle? Mes doigts dégoulinent comme une sucette glacée, frappée d'un coup de chaleur. Si elle était là, Magalie les retirerait vivement de ma bouche avec une petite phrase réprobatrice. À la troisième ou quatrième récidive, elle hausserait le ton et froncerait les sourcils, mais elle n'irait pas plus loin. Parce que je suis spéciale. Elle essaierait de rediriger mon attention, sans plus. Mon frère, lui, selon la gravité de son offense, serait envoyé dans sa chambre ou condamné aux travaux forcés (sortir les ordures, passer l'aspirateur, etc.).

Malgré mes efforts pour le calmer, mon estomac finit par restituer son contenu. La matière chaude et visqueuse, d'une couleur blanchâtre, macule ma jolie veste et la main que je venais de reposer sur la tablette escamotable de mon fauteuil ; une coulée pénètre sous mon encolure et s'immobilise dans la crevasse de ma clavicule gauche. La nausée ainsi expulsée de mon corps, je goûte un bref instant de soulagement.

Hélas, l'odeur des vomissures parvient rapidement au nez du chauffeur, et mon soulagement ne survit pas à ses beuglements.

— *Calvaire !* lance-t-il en regardant par-dessus son épaule. Dites-moi pas qui y'en a un qui a renvoyé ? C'est qui, hein ?

— C'est la nouvelle, M'sieur, répond une petite voix vers l'avant.

— T'aurais pas pu te retenir encore quinze minutes ?

Il gesticule d'une main.

— Maudite *job !* Mon beau-frère a pas d'emmerdements de même à charroyer ses caisses d'oranges de la Floride, et il se fait crissement plus d'argent.

Une autre sorte de malaise m'envahit, qui fait celui-là bien d'autres victimes à bord. Tous les passagers semblent touchés à des degrés divers à en juger par leur sombre expression. Car les reproches de notre chauffeur ne visent pas que moi, ils visent sa cargaison entière : il nous méprise tous également.

Des larmes me montent aux yeux, tirées par un souvenir très ancien, jailli soudain du brouillard de l'oubli. L'angoisse presse mon cœur entre ses doigts griffus. C'est Raymond qui aboie, grogne et sort ses crocs. Je cherche Magalie. Je ne la vois nulle part. Magalie est sortie. Raymond et moi sommes seuls. Raymond se tient debout à côté de ma couchette (je suis encore assez petite pour y dormir confortablement) ; il en a abaissé un côté. Raymond tente de m'habiller. Ma tête franchit, sans qu'il soit besoin de la forcer, l'encolure à trois boutons d'un chandail rayé bleu et blanc. Raymond m'ordonne ensuite de déplier le bras afin de pouvoir le passer dans la manche. Il jappe son ordre une, deux, trois fois, haussant le ton à chaque reprise. Il prend mon incapacité d'obéir pour de la mauvaise volonté. Je tremble de peur et pleure. Il m'abandonne là, à moitié nue.

Quand, bien plus tard, les mains de Magalie vinrent à ma rescousse, j'étais transie et presque sans voix d'avoir tant braillé. Magalie me tint contre sa peau délicieusement chaude jusqu'à ce que tarissent mes sanglots. Elle m'étreignit tout ce temps dans le cocon de ses deux bras, exception faite de la gifle : une gifle explosive, qu'elle assena sans me lâcher à son cabot de mari, et qui fut d'une violence telle qu'ils en perdirent tous deux l'équilibre. Un long silence suivit. Nous étions sous le choc, tous les quatre. Car Benoît avait été témoin de la scène. Je me souviens l'avoir aperçu, agenouillé dans un coin. C'est Raymond, redevenu humain, qui, après s'être détaché de Magalie, brisa enfin le silence.

— Pardonne-moi. Pardonne-moi, Magalie. Pardonne-moi…

Ce furent les derniers mots qu'ils échangèrent ce jour-là devant mon frère et moi : une prière. Je suppose qu'ils discutèrent longuement dans leur chambre, la nuit venue. Peut-être, même, Benoît a-t-il épié à leur porte. S'il l'a fait, il ne m'en a rien dit et il ne subsiste pas d'autres traces de l'accroc dans ma conscience.

Dans l'ici et maintenant, le chauffeur n'a pas arrêté de maugréer, et il a ouvert à demi sa fenêtre afin de nettoyer ses narines. Mes vêtements souillés adhèrent à ma peau. Ils commencent à refroidir. Nous arrivons heureusement à destination. Je pense à la tenue de rechange que Magalie a glissée dans mon sac à dos. Je sais que je pourrai compter sur l'aide d'une enseignante ou d'une préposée pour l'enfiler.

J'ai une image de l'école dans ma tête, de l'école telle que mon frère la décrit : la cour de récréation, les rangées de pupitres bien alignés, les gamins qui tirent les tresses des filles tandis que l'enseignante a le dos tourné, les cahiers de leçons, la palestre où les élèves jouent au ballon quand le froid mord trop fort, la hiérarchie des classes réparties de la maternelle à la sixième année. Mon école à moi n'y ressemble pas. Plutôt que de me faire tracer des *a* et des *b*, on colle un nouveau symbole Bliss sur ma tablette : ⋏

On me donne pour devoir d'expliquer en rentrant à Magalie mon petit «accident» du matin à l'aide de ce symbole. En apparence simple, ce devoir comporte une difficulté de taille : d'abord rallier Magalie au Bliss, qui la hérisse. Elle se plaint que le tableau encombre, qu'elle devine plus vite que je ne pointe (sans soupçonner la faillibilité croissante de ses divinations). Ces considérations me semblent bien frivoles en regard de la possibilité d'une communication réciproque. Et si les doléances de Magalie cachaient en fait une inquiétude ? Craindrait-elle, par exemple, que l'enrichissement de mon vocabulaire symbolique ne déchaîne les reproches que j'aurais accumulés pendant mes années de silence ou ne déclenche la divulgation des confessions reçues de sa bouche et d'autres ?

Magalie insiste toujours pour que Benoît se mette à ses devoirs aussitôt revenu de l'école — sauf quand il a un entraînement. Je suis donc la consigne et saisis la première occasion de lui montrer ce que j'ai appris.

— Mais où est donc passée ta belle veste? demande-t-elle avant même que le minibus ait regagné la route et qu'elle ait refermé derrière nous la porte de la maison.

Je pointe un symbole sur mon tableau, c'est-à-dire que, par petites saccades, je survole ma cible; j'effleure tantôt la case au-dessus, tantôt celle en dessous ou à côté et, au bout d'interminables secondes, je parviens à immobiliser mon index sur le symbole ∧ qui signifie «malade».

Magalie refuse de voir. Certes, ma main obstrue sa vue. Il lui faudrait la soulever pour discerner le symbole et sa traduction. Je m'énerve, et mon contrôle moteur faiblit à mesure qu'enfle mon énervement. Une ardente faim de communiquer me dévore; une faim que, pendant longtemps, j'ai démentie et qui s'est progressivement intensifiée; une faim que nos dialogues tactiles, ses soliloques, ses intuitions et ses interprétations bien intentionnées ne trompent plus. J'ai mes craintes, moi aussi. J'ai la conviction que, tôt ou tard, elle (ou quelqu'un d'autre) finira par me prêter des intentions que je n'ai pas, à moins que je ne trouve une façon de me faire entendre. Le Bliss est mon seul espoir.

Magalie me conduit à ma chambre et stationne mon fauteuil à côté du lit. Je réitère ma tentative de communication et l'accompagne cette fois d'un petit cri d'emphase. À deux reprises, j'effleure ∧ .

Toutefois, Magalie retire et range mon tableau avant que je ne m'arrête sur la bonne case.

— Qu'y a-t-il Corinne, ça ne va pas?

Elle pose la question, mais sans attendre ou vouloir une réponse. Elle enfonce plutôt la main dans le sac pendu aux poignées de mon fauteuil et y cherche à tâtons mon journal de bord : elle est certaine de trouver dans ses pages l'explication voulue. Ce journal, un simple calepin à spirale, sert de relais entre l'école et ma famille. Je me demande si on y mentionne aussi mon devoir et je glousse en gesticulant dans la direction de mon tableau.

— Chut! Maman essaie de lire...

Et si ce qu'elle redoutait, c'étaient mes questions plutôt que d'éventuels reproches ou divulgations? Après tout, j'en ai beaucoup, des questions. Par exemple, d'où vient la manie de certains adultes, comme Linda Saucier, de pincer les joues des enfants? Comment grand-père Farah et grand-mère Brunhilde se sont-ils rencontrés? Pourquoi dit-on «le» Richelieu, mais «la» Yamaska?

Magalie referme le calepin et le remet dans mon sac. Puis elle glisse ses bras sous moi, me soulève, me dépose sur le lit et entreprend de changer ma couche.

J'ai aussi des questions difficiles, qu'elle appelle des «questions existentielles». Je m'interroge en particulier sur la bataille que livrèrent sous ses ordres les médecins pour me retenir ici. Il m'importe peu qu'elle ait ou non toutes les réponses; nous pourrions essayer d'inventer ensemble celles qui manquent.

Nous avons conclu un pacte, Magalie et moi, de cela je suis certaine; un pacte d'âmes, un projet inscrit dans la substance même de nos vies — ainsi que des vies de Raymond, Benoît et Safiya, bien sûr. Quelle en est la portée exacte? Je voudrais savoir. Des pans entiers de ma mémoire me restent inaccessibles, occultés par la réalité présente : la roseraie si jolie, l'animation des soupers en famille, les rencontres qui, une à une, élargissent mon univers terrestre. Notre projet, au prix de quels remodelages s'accomplira-t-il? Et si je n'avais pas la force d'aller jusqu'au bout?

Le lendemain, au petit-déjeuner, je n'avale rien. Magalie insiste. Je résiste. Le soir, mon journal de bord rapporte que j'ai mangé comme une goinfre à la collation de dix heures. Il faut encore deux jours à Magalie pour comprendre que l'autobus me donne la nausée le matin. En fin de compte, le tableau nous aurait permis de sauver du temps, mais cela, elle ne l'admettra pas.

Presque du jour au lendemain, une nouvelle routine s'installe. Dès qu'elle a enlevé mon manteau et changé ma couche, Magalie saute sur le journal et lit à voix haute les entrées quotidiennes en me lançant réprimandes ou compliments tandis qu'elle caresse et détire mes doigts. « Bon appétit à la collation du matin et au lunch. Refus de coopérer durant la séance de physio. Essayer l'exercice suivant à la maison… »

Parfois, le journal mentionne les notions que j'ai étudiées (par exemple, plus grand que… et plus petit que…) et invite Magalie à renforcer celles que j'ai mal saisies ; mais, où les enseignantes voient une mauvaise compréhension, moi, en général, je vois plutôt une divergence de perceptions. Ainsi, quoi qu'en pense Mme Dumouchel, le sol est bien vivant ! Tout fermier le sait et en dépend. Les roches aussi, d'ailleurs, sont vivantes, puisque je sens la malachite pulser dans ma main quand Magalie m'autorise à tenir son beau pendentif vert.

D'autres fois, le journal rapporte mes résultats à différents examens et tests. Magalie me félicite toujours. Raymond se contente d'un grognement ou d'un « ah ouais ? » distrait. J'espère toutefois les impressionner grâce aux matrices de Raven.

— Les matrices de quoi ? Voir le fascicule bleu. Celui-ci ? demande Magalie en agitant vers moi un cahier écorné qu'elle vient à l'instant de tirer de mon sac à dos.

Je hoche la tête. Elle ouvre le cahier. Son regard glisse rapidement sur la première page, puis s'immobilise. À l'autre bout de la maison, le carillon de la porte a retenti.

— Qui est-ce que ça peut être ? Je reviens tout de suite, dit-elle en déposant le cahier sur ma table de chevet.

J'entends au loin les voix de mon frère et de son ami Rodrigue, ainsi que le brouhaha des poches, bâtons et vêtements qui choient sur le plancher. L'entraînement de hockey a dû être écourté. Les garçons sont surexcités.

— Maman ! Maman ! Est-ce que Rodrigue peut rester à souper avec nous ?

En un instant, le programme de la soirée se trouve chamboulé.

— On verra ça tout à l'heure.

Magalie reparaît dans ma chambre et me rassoit dans mon fauteuil. Elle m'invite à lui tenir compagnie pendant qu'elle prépare le repas. Avant de se mettre à l'œuvre, elle sort toutefois son carnet d'adresses du bahut afin de faire un appel.

— Madame Chagnon ? Ah ! J'espérais bien vous attraper... Rodrigue est ici. Il y a une panne d'électricité dans le secteur de l'aréna et l'entraînement a été interrompu. L'entraîneur n'a pas réussi à vous joindre... Les garçons aimeraient bien manger ensemble. Vous n'avez pas objection à ce que nous gardions Rodrigue à souper ?... Certaine... Je vous le passe.

Magalie demande à Rodrigue de venir au téléphone, puis elle sort du congélateur un sac de macaronis au fromage.

— Yé ! s'exclame Rodrigue.

Il raccroche le combiné avec brusquerie, pressé d'aller annoncer la nouvelle à Benoît. Une demi-heure plus tard, Magalie appelle les garçons à table. Le plat fumant qu'elle pose devant eux ne ressemble que vaguement à l'illustration sur le sac sorti plus tôt du congélateur. Raymond vante souvent le génie culinaire de sa femme, mais moi, je pense qu'il faut plus que du génie pour opérer pareille transformation : il faut de la magie.

Benoît et son invité attaquent leur assiette avec enthousiasme.

— Benoît, mon grand, tu peux surveiller tes sœurs pendant deux minutes. Je vais aller chercher ton père.

Benoît, qui a la bouche pleine, se contente de répondre par un signe de tête. Elle l'embrasse sur les cheveux, reçoit en échange une série de claques mollasses, puis elle sort au pas de course, sans même enfiler un manteau. Safiya se met aussitôt à pleurer. Rodrigue, lui, profite de l'absence d'adultes pour me dévisager à son aise.

— Ça doit faire mal d'avoir les doigts et le cou croches comme ça.

Rodrigue singe ma posture. Mon frère hausse les épaules.

— Elle bave toujours de même ?

— Ça dépend. Elle bave surtout quand elle est fatiguée. C'est difficile pour elle d'avaler.

Par le ton et la concision de ses réponses, mon frère copie Raymond. Je rectifie par un couac : il aurait dû ajouter que je suis aussi très baveuse sous l'emprise d'intenses émotions. Mon intervention surprend l'invité, qui me regarde encore plus drôlement. Je m'amuse de son expression, à mi-chemin entre dégoût et curiosité.

— Elle fait souvent ça ?

— C'est un peu sa façon de parler.

— Qu'est-ce qu'elle dit, là ?

Benoît ne répond pas. Nos parents viennent de franchir la porte et s'assoient à leur tour à table. Moi, je mangerai après tout le monde ce soir : de cette façon, je ne me sentirai pas bousculée. Une joyeuse agitation règne tout au long du repas. Raymond prend un malin plaisir à taquiner les garçons, qui répliquent avec des mimiques drolatiques. Magalie laisse faire.

— Vous aimez les devinettes ? J'en ai une bonne. Voyons si vous êtes capables de la résoudre…

— Raymond, tu permets que je t'interrompe, dit Magalie, je voudrais juste rappeler à Rodrigue que sa mère doit passer le prendre dans une vingtaine de minutes. Et comme d'habitude, en sortant de table, chacun ramène sa vaisselle sale à la cuisine et la dépose sur le comptoir, à côté de l'évier. D'accord ?

Sur ce, elle emporte l'assiette qu'elle vient de vider et reparaît quelques minutes plus tard avec un sac de biscuits et un pichet de lait.

— Viens Corinne, laissons ces messieurs à leurs idioties, me souffle-t-elle avant de me conduire à la cuisine.

Le joyeux tapage se poursuit quelque temps autour de la table avant que Mme Chagnon ne frappe à la porte et ne reparte avec son fils. Elle met ainsi fin à un rare intermède dans la succession normale de tâches qui forment la trame rugueuse, mais rassurante de notre quotidien.

Je mange plus lentement que de coutume. Magalie ne s'en plaint pas. Elle a allumé la radio et fredonne. De temps à autre, elle esquisse même un pas de danse entre deux bouchées. Elle semble parfaitement heureuse à cet instant. Elle ne sourit pas, mais un calme serein illumine son visage comme un vitrail, de l'intérieur.

Je mugis un avertissement : Raymond arrive parderrière. Il pose tendrement ses énormes mains sur les épaules de sa femme. Un éclair d'amusement luit dans les yeux de Magalie quand elle se détache de lui afin de porter à ma bouche une dernière cuillerée. Raymond dresse un compte rendu de la situation.

— J'ai mis Safiya au lit. Elle dort déjà à poings fermés. Notre fils, lui, est en train de se laver.

— Bien. Alors, que dirais-tu que je nous prépare deux cafés arrosés ?

— Nous avons vidé la liqueur de café à l'Action de grâce, et j'ai oublié d'en racheter.

— Moi, j'y ai pensé.

Il lui fait un baisemain.

— Madame, dans ce cas, laissez-moi le privilège de vous servir. Passez donc au salon avec votre demoiselle de compagnie. Il ne me faudra que quelques minutes pour préparer nos boissons.

— Grand charmeur !

Sous ce compliment déguisé en reproche brûlent les braises de sa passion originelle pour Raymond, celle qui l'a poussée à quitter la métropole pour cette vallée. Ce soir, je le sens, elle a envie de remuer les braises pour raviver les flammes et croire un instant que rien, jamais, ne les étouffera. Ils vont jouer le grand jeu des amoureux : la séduction.

Magalie m'entraîne à sa suite hors de la cuisine. Plutôt que de se placer derrière moi comme de coutume, elle tire à reculons mon fauteuil par les appuie-bras, son visage à quelques centimètres du mien. Elle chante :

I thought that I heard you laughing. I thought that I heard you sing...

Dans le désordre, elle reprend avec gaieté des bribes de la dernière chanson entendue à la radio, une chanson au fond tragique, qui parle de l'impossibilité de se rejoindre et de l'effondrement des illusions — ces mises en scène dans lesquelles les adultes jouent avec tant de ferveur qu'ils en oublient l'envers du décor. «La vie tranquille d'une famille normale en Montérégie», c'est l'illusion scénarisée par Magalie.

Trying to keep up with you, and I don't know tadada-dadam, wou-hou-hou la-la-la... But that was just a dream, just a dream.

«Mais ça n'était qu'un rêve», conclut la chanson. Les rêves durent le temps d'une nuit; les illusions, parfois plus longtemps, mais pas éternellement. L'habileté et la rapidité avec lesquelles l'illusionniste parvient à colmater les inévitables brèches déterminent leur longévité.

Sans arrêter de chantonner, Magalie me transfère sur le sofa, puis disparaît quelques instants dans ma chambre. Elle en ressort avec le fascicule bleu, qui était resté sur ma table de chevet, et vient s'asseoir avec moi. Elle a cessé de chantonner. Elle place un oreiller mollet sur ses cuisses. Ensuite, elle m'attire contre elle de sorte que mon corps se retrouve perpendiculaire au sien et mes jambes, étendues sur les coussins. Ainsi positionnée, elle reprend alors la lecture interrompue quelques heures plus tôt par le carillon. Raymond arrive peu après avec les cafés. Avec précaution, il se glisse sous mes jambes.

— Tchin-tchin!

Ils se regardent pendant quelques secondes avant de boire une première gorgée. Je suis à cheval entre leurs corps, un trait d'union entre eux.

— Mmm... C'est bon, dit Magalie. Merci.

— Merci à toi. Après tout, c'était ton idée, répond-il en lui caressant la joue. Ce que tu es belle...

Un demi-sourire se profile sur les lèvres de Magalie.

— *Ray darling...* Tu as le don de me lancer des compliments dans les moments les plus étranges! Tu m'as regardée? J'ai les cheveux qui frisottent et je suis couverte de purée de macaronis. Je ne me sens vraiment pas attirante!

— C'est pour ça que c'est le moment tout indiqué pour un compliment, répond-il avec une grande tendresse.

Il poursuit sur le même ton, mais sur un thème plus prosaïque :

— Benoît est au lit, mais je lui ai permis de lire jusqu'à huit heures. De toute façon, il était encore bien trop excité pour s'endormir.

Dans les contes de fées, les princes et princesses, une fois leur amour scellé par un long baiser, vivent heureux et ont beaucoup d'enfants. Toutefois, pas un livre ne raconte les ravissements de leur quotidien. Entourés de leur marmaille (sage ou turbulente), les tourtereaux trouvent-ils encore le temps de s'embrasser, de s'enlacer, de virevolter, de se pâmer l'un devant l'autre?

— Parfait.

— Qu'est-ce que tu as là?

Elle tend le fascicule à Raymond, qui l'ouvre sur mon ventre. Je reconnais au milieu de la page gauche une des matrices que l'on m'a présentées :

— On les appelle les matrices de Raven. C'est une solution de rechange aux traditionnels tests d'évaluation du Q.I. *See?* Il s'agit de compléter chaque série par le symbole manquant. Les résultats de Corinne laissent supposer que son intelligence serait plus proche de la normale qu'on le pensait. Tu te rends compte?

L'enthousiasme de Magalie frappe un mur. Exit le romantisme. La mine de Raymond s'assombrit. Je m'attendais à une autre réaction.

— C'est une bonne nouvelle! dit Magalie.

Je croyais que cette nouvelle allumerait dans le cœur de Raymond une étincelle de joie — fût-elle microscopique. J'espérais qu'elle l'amène à poser sur moi un regard différent, mais il reste incapable de me voir comme autre chose qu'un problème.

Le regard de Magalie devient plus insistant. Puisque notre position interdit à Raymond une fuite rapide, elle va becqueter jusqu'à ce qu'il abdique son mutisme et prenne position.

— Raymond?

Il baisse les yeux. Un sillon se creuse entre ses sourcils. La colère monte en lui. Magalie retient sa langue. Elle va lui allouer un peu plus de temps pour formuler sa réponse. Dans les moments comme ceux-ci, elle sait qu'il vaut mieux doser la pression. Autrement, même coincé sous mes jambes, son mari risque de détaler au grand galop. Elle pose la main sur son avant-bras musclé et poilu.

— Je sais pas.

Ces trois petits mots, combien ils irritent Magalie. Raymond les utilise en dérobade quand il n'ose pas répondre franchement — parce qu'il ne peut ou ne veut s'avouer quelque chose à lui-même ou à Magalie. Une ombre noduleuse s'infiltre par mon dos, dans mon bas ventre. Je remue les jambes afin de la dissiper.

— Je ne sais pas trop comment dire…

— Tu peux le dire en anglais, *if you think that will be easier.* Ou en souahili même, ajoute-t-elle pince-sans-rire. Quoique, dans ce cas, les nuances risquent de m'échapper! Il daigne lever les yeux et les tourner vers elle. «Comment peux-tu blaguer à un moment pareil?» semblent-ils dire. Et puis, après un long soupir, Raymond délivre son verdict d'un bloc, d'une voix très grave.

— Ouais, si je comprends bien ce que tu me dis, non seulement Corinne est condamnée à passer sa vie clouée dans un fauteuil roulant, mais, de surcroît, elle va en être pleinement consciente? Elle va être assez lucide pour se désoler de tout ce qu'elle ne pourra jamais faire, des lieux qu'elle ne pourra jamais visiter et des expériences que Benoît et Safiya vont vivre, mais qui vont demeurer à jamais hors de sa portée à elle? Je regrette, moi, je ne trouve pas que c'est une bonne nouvelle. Au contraire, ça me fend le cœur; et, pour tout te dire, je trouve que c'est le comble de l'injustice.

Il se tait. Pendant quelques minutes, on n'entend que le bruit de nos trois respirations et le tic-tac de l'horloge. Mes yeux glissent de l'un à l'autre. Je surveille leurs réactions.

— Tu me parles de ce qu'elle n'a pas, des expériences qu'elle ne connaîtra pas, commence Magalie.

Elle s'interrompt toutefois aussitôt, en proie à une profonde consternation. Les mots s'étranglent dans sa gorge. Son émotion, mêlée à celle de Raymond, densifie l'atmosphère. Il devient difficile de respirer. Je m'agite.

Au bout d'une minute, Magalie réussit à se maîtriser. Elle continue :

— J'en suis bien consciente. De fait, rares sont les journées où je parviens à ne pas y penser. Alors, de temps en temps, ça me fait du bien de regarder le positif. Notre fille n'est pas un légume. Elle comprend ce que nous lui disons et ce qui se passe autour d'elle. Nous en avons la preuve finalement. Est-ce que tu ne pourrais pas t'en réjouir quelques instants avant d'analyser les mauvais côtés, s'il te plaît ?

— Tu ne seras pas pour autant capable d'avoir une conversation avec elle ou de l'entendre t'appeler maman. Je ne supporte plus le contact de leurs corps. Je voudrais qu'ils me déposent par terre.

— Non, elle ne pourra jamais utiliser sa voix pour communiquer avec nous. Mais il y a d'autres moyens.

Je me tortille de plus belle, sans obtenir le résultat souhaité : Magalie, plutôt que de me déplacer, pose ses bras sur moi, et leur poids suffit à m'immobiliser.

— Tu veux parler de son tableau Bliss, je suppose ? Maudite patente ! Tu la détestes autant que moi.

Il s'arrête. Aurait-il remarqué l'immense douleur sur le visage de Magalie ? Ou aurait-il soudain pris conscience qu'il a dépassé les bornes, alors que tous deux avaient convenu de jouer le jeu de la séduction ce soir ? La conversation aurait-elle quand même dérapé si Raymond avait troqué son jean élimé et sa chemise de flanelle contre des habits princiers, je me le demande. Chose certaine, il n'y a pas de fillettes comme moi dans les contes de fées.

— *What would you have us do ?* Dis-moi ! Selon toi, que devrions-nous faire ?

La répétition de la question dans les deux langues en double le poids.

— Tu veux abandonner ? Notre fille est handicapée. Je ne vais pas pour autant la planquer dans un coin ! poursuit-elle, piquée au vif. Bien sûr, il y a un million de choses que Corinne ne pourra jamais faire. Bien sûr, elle doit en être triste certains jours. Mais je pense que c'est aussi notre rôle de l'aider à oublier sa tristesse.

Finalement, sans se lever, elle me dépose sur le sol à ses pieds, puis elle se repositionne afin de mieux voir Raymond. Je prends une grande inspiration et me secoue du mieux que je peux. Je garde quand même la sensation de nager dans une mare de purin. Raymond n'a pas rouvert la bouche. Il serre les mâchoires tandis que Magalie poursuit son plaidoyer.

— Ma mère a passé une bonne partie de sa vie adulte à soigner les malades en Afrique. Je ne comprends toujours pas ce qui l'a poussée au travail humanitaire. En fait, je l'ai longtemps trouvée ridicule. La souffrance, on n'en viendra jamais à bout, *right*? Il y aura toujours des malades, toujours de la misère. Alors, pourquoi essayer? Ma mère est morte jeune, voilà quelle a été sa récompense pour ses bons efforts : elle est morte d'une maladie contractée en Afrique. Non, la souffrance, on n'en viendra jamais à bout, tout comme on ne réussira jamais à réparer notre petite fille brisée. Sauf que j'ai fini par comprendre que, pour ma mère, l'important n'était pas de réussir, mais d'essayer. Elle mesurait la valeur de sa vie à ses efforts...

Brisée. Ce mot, je n'aime pas l'entendre dans sa bouche. Elle ne tolère pourtant pas que d'autres me l'appliquent et s'insurge quand des étrangers ont la stupidité d'affirmer que la science découvrira un jour un moyen de me réparer.

— Mes efforts, moi, je les consacre à Corinne.

Dans sa voix, une fatigue résignée a remplacé l'indignation.

— Je fais de mon mieux pour en prendre soin et la rendre heureuse, parce qu'autrement je vais sombrer dans la culpabilité.

— Ça n'est pas de ta faute si Corinne...

— C'est ce que tu dis, c'est ce que les médecins ont dit. Mais je me sens quand même coupable de pouvoir marcher et courir alors qu'elle, elle ne peut pas. Je me sens coupable de mastiquer et d'avaler avec facilité les soirs où chaque bouchée est pour elle un combat. Je me sens coupable quand j'admire dans la glace mon corps de femme en santé, qui ne porte pas la moindre cicatrice, et j'ai l'impression de la trahir quand je me préfère à elle. Une mère digne de ce nom ne devrait pas se préférer à sa fille.

— Et c'est ce qui explique que, pour un simple test, tu es prête à croire que notre enfant, cette… cette estropiée de la vie, a hérité de ta vivacité d'esprit, comme si ça pouvait compenser tout le reste ?

Je me répète que Raymond n'est qu'un bipède limité dans ses perceptions, incapable de communier à la joie des épaulards ou de recevoir les conseils des carouges. Ses paroles me font quand même exploser la poitrine.

— Admets que tu ne te permettrais pas ce genre de remarque devant Corinne si tu la croyais vraiment douée d'intelligence, dit-il. Tu ne te laisses pas aller comme ça devant notre fils.

La réplique laisse Magalie muette. Au bout d'une minute, Raymond ajoute :

— Il y a des jours où j'ai l'impression qu'elle nous tient en otage.

Ils se fixent longuement. Dans l'angle où se trouve Magalie, je ne vois qu'une partie de son visage, mais je crois distinguer, au coin de l'œil droit, une larme sur le point de s'échapper. Elle serre les poings, mais continue de se taire. Au bout de quelques minutes, elle me soulève et me reconduit à ma chambre. Ses gestes sont lents, cajoleurs. Elle s'attarde à mon chevet. Ce soir, j'ai droit à deux histoires au lieu d'une seule avant qu'elle n'éteigne finalement ma petite lampe-champignon, sous laquelle des fées de plastique cultivent leur jardin factice.

Le lendemain ressemble à tous les samedis. Raymond et Magalie font semblant que la conversation de la veille n'a pas eu lieu. Toutefois, j'entends bien, entre leurs échanges, le tintement éteint d'une cloche fêlée. Benoît aussi l'entend : il observe avec un air inquiet nos parents quand leur attention se porte ailleurs. Nous nous entraînons à bloquer le tintement. Comme nos parents, nous apprenons à faire semblant. La première neige tombe et puis, quelques semaines plus tard, la première moitié de l'année scolaire s'achève par un long congé. Nous célébrons Noël. Je reçois en cadeau une poupée que Raymond a lui-même modifiée. Quand je tire sur l'énorme poignée dans son dos, elle dit en alternance « Maman ! », « J'ai faim ! », « Berce-moi ! », « Je t'aime ! »

L'événement le plus mémorable de l'hiver survient peu après le Nouvel An : les premiers pas de Safiya. La famille les attendait depuis un certain temps déjà. Raymond surveillait les signes précurseurs depuis un bon mois. Il retenait son souffle et se tenait prêt à applaudir chaque fois que ma sœur, s'agrippant au buffet, à un mur ou à mon fauteuil, parvenait à se lever et à franchir quelques centimètres sur ses courtes jambes. Selon lui, les êtres humains saisiraient-ils le monde par leurs pieds ? Absurde. Et pourtant… La Lune, qui illuminait déjà nos nuits bien avant que nous la nommions, brille plus réellement depuis que Neil Armstrong l'a foulée. Raymond avait huit ou neuf ans quand il fut témoin, par caméra interposée, de ce grand pas pour l'humanité. Colette affirme qu'il en a parlé pendant des semaines.

J'écoute la radio tandis que Magalie met la table. Tout près de moi, Safiya s'amuse avec ses blocs abécédaires. Chaque fois que Magalie passe à côté d'elle, Safiya lui en tend un, comme si elle invitait sa mère à jouer avec elle.

Par deux, trois, quatre fois, Magalie accepte le bloc tendu, puis le pose sur une chaise à proximité. Se trouvant peut-être privée d'un trop grand nombre de blocs, Safiya décide alors de se lever pour récupérer ses offrandes. Elle se tient debout, fermement agrippée à la chaise quand Raymond rentre. Excitée, elle se tourne vers lui quand il lance son bonjour usuel à la ronde et fait trois pas dans sa direction avant de tomber sur son arrière-train.

— Bravo! Bravo Safiya! s'écrit-il, en la soulevant fièrement au bout de ses bras. Magalie, t'as vu ça?

Il y a un tel feu dans le regard de Raymond, un feu tel que moi je n'y allumerai jamais. Sa petite fille marche. Elle a commencé sa conquête du monde. Encore quelques pas, et elle m'aura définitivement distancée.

CHAPITRE 10

S'honnit qui par amour trahit

«... ET C'EST LE BUT!»
Benoît et Raymond bondissent sur leurs jambes. Bras levés, ils poussent un hourra sans quitter des yeux le téléviseur. J'unis ma voix aux leurs : «aaaah!» m'écrié-je, passant de l'aigu au grave. La reprise montre en gros plan la feinte magistrale de Damphousse et son lancer. Suit une pause publicitaire. Magalie choisit ce moment-là pour annoncer le coucher.

— M'man! S'il te plaît, encore quinze minutes, supplie Benoît.

Je lève ma jambe gauche pour revendiquer, moi aussi, un sursis.

— Tu permets qu'on finisse de regarder la période ensemble? demande Raymond. Il n'y en a que pour cinq à dix minutes.

Magalie secoue la tête en haussant les épaules : elle concède. Le hockey, c'est presque une religion pour Raymond. Il n'a pas réussi à la convertir, mais nous, les enfants, sommes déjà bien endoctrinés.

— D'accord. Je vous laisse regarder la fin de la période, mais modérez vos transports s'il vous plaît. Vous allez réveiller Safiya.

Elle s'éloigne d'un pas léger. Du coin de l'œil, je la vois ramasser au passage le téléphone sans fil. Depuis l'épisode des matrices, Magalie et Raymond ne communiquent plus : ils échangent de l'information et se transmettent des directives, liant le tout par quelques formules de politesse et rapports météorologiques. Pour meubler le vide du non-dit, Magalie s'est accrochée au téléphone. Ses conversations, qui durent parfois près d'une heure, la revigorent. Une fraîcheur jouvencelle bruit après dans sa voix, jusqu'à ce qu'elle voie Raymond ou qu'on le mentionne. J'ignore qui se trouve à l'autre bout du fil. Sûrement pas grand-père Farah, qui refuse de garder l'oreille collée au combiné plus de cinq minutes. Sûrement pas tante Sarah non plus, puisque ces conversations-là provoquent en général le cafard ou le dépit chez Magalie.

Je n'y pense pas plus longtemps. La pause publicitaire est terminée. L'arbitre signale la mise au jeu. Je ramène mon attention sur le rectangle blanc de la patinoire et, tandis que Damphousse double à grands coups de patin ses adversaires, je me demande si la joie de glisser sur la glace se compare à celle de voler. Selon Benoît, il n'y a rien de plus «trippant».

La période finit sans que l'une ou l'autre des équipes ne réussisse un nouveau but. Raymond envoie Benoît se coucher et monte à sa suite l'escalier. Sa présence à l'étage, sous prétexte d'enfiler une robe de chambre, garantira que mon frère obéisse sans lambiner. J'imagine qu'il en profitera aussi pour jeter un œil sur Safiya.

Quelques minutes plus tard, Magalie vient me chercher et, à mon tour, je retrouve mon lit.

— Non, non. Pas ce soir. Il est tard, objecte-t-elle, quand je lui réclame une histoire. Sois raisonnable!

Elle passe sa main de haut en bas sur mes yeux.

— Tu peux zieuter tes livres autant que tu veux, ça ne changera rien. Je t'ai permis de regarder le hockey très tard. Maintenant, tu dois dormir.

Sur ce, elle m'embrasse, éteint la lumière et se retire. Comme d'habitude, elle laisse la porte entrouverte afin d'entendre plus facilement mes appels éventuels. Puisque les sons voyagent dans les deux directions, j'entends donc, en sourdine, le téléviseur. La dernière période vient de commencer. Les clameurs de la foule m'indiquent que notre équipe a réussi un tir. Je m'endors en jouant sur la glace du Forum une partie imaginaire flanquée de Benoît et «Carbo», mon hockeyeur favori. Raymond garde le filet.

Au petit matin, je suis brusquement éveillée par l'intrusion de Safiya. Elle est parvenue, je ne sais comment, à grimper dans mon lit. À la vue de mes yeux ouverts, elle se met à sautiller en place sur son arrière-train, en tapant joyeusement des mains, fière de son exploit. Cela dure quelques secondes. Puis elle s'immobilise et me fixe avec un grand sérieux.

Nos regards se perdent l'un dans l'autre. Au bout d'un moment, l'expression de ma sœur change à nouveau. Un large sourire fend son visage. Elle enchaîne avec une série de sons énigmatiques, mots d'une langue oubliée, doux et coulants comme les gargouillis d'un ruisseau. Et puis, mue par je ne sais quelle envie, elle tente d'approcher mon visage avec sa maladresse enfantine : une de ses menottes s'enfonce dans mon ventre et provoque une douleur intense. Je peux difficilement respirer. Sans réfléchir, je tourne alors la tête vers son poignet droit, qui se trouve à portée de ma mâchoire, et je plante mes crocs dans la chair tendre. La réaction de Safiya est immédiate : elle pousse un hurlement strident et se rassoit sur son postérieur. De grosses larmes roulent sur ses pommettes roses.

Magalie accourt aussitôt, en état de panique, note la morsure et arrache Safiya à mon lit.

— Maman, mal, dit-elle en pointant son index dans ma direction. Moi amie.

Abasourdie, Magalie regarde bouche bée son bébé, qui vient de prononcer ses premières phrases. Safiya ne pleure déjà plus. Dans les bras de sa mère, elle répète avec assurance :

— Moi amie.

— Tu veux être l'amie de Corinne ? C'est pour ça que tu as grimpé dans son lit ?

Safiya acquiesce.

— Je suis certaine que Corinne est désolée de t'avoir fait mal et que ça lui ferait plaisir d'être ton amie.

Prisonnière des couvertures, je ne peux bouger ni les jambes ni les bras. Je réussis quand même à secouer la tête.

— Tu vois ? Corinne s'excuse. Maman est fière de toi, Safiya.

Elle marque une pause. Puis, elle ajoute :

— Je suis fière de vous deux, *my two beautiful girls*. Mais tandis qu'elle prononce ces mots, c'est la tête de Safiya qu'elle caresse.

Magalie se tourne vers la porte et appelle Raymond. Sa journée à lui commence bien avant la nôtre : à cette heure, il a déjà trait et nourri le troupeau. Il se permet donc une pause afin d'aider Magalie, qui ne suffit pas toujours à la tâche le matin, parce qu'à trois enfants, nous parvenons souvent à contrecarrer les stratégies qu'elle déploie pour maintenir l'ordre et assurer la ponctualité les jours d'école.

Raymond ne tarde pas à se montrer dans l'embrasure de ma porte, d'où il lance un «bon matin» machinal avant de tendre les bras pour recevoir Safiya.

— Tiens-toi sur tes gardes! elle m'a déjà fait deux surprises ce matin…

Magalie la lui remet et relate les événements.

— Tu te souviens, Benoît devait avoir au moins vingt-quatre mois, lui, quand il a prononcé ses premières phrases!

Raymond boit chaque détail, les yeux rivés sur sa petite dernière et le torse bombé d'admiration. Elle n'a pourtant pas inventé le langage! me dis-je. Tout parle, tout communique. Il n'y a rien de plus naturel. En été, la cigale chante les louanges de la chaleur. En hiver, la glace qui craque sous mes roues appelle la protection de la neige. La maison geint quand le vent et le froid triturent sa vieille ossature.

Pour nos parents, ne comptent toutefois que les mots, ceux que la voix humaine claironne ou murmure aux oreilles d'autres humains capables du même prodige. Ma sœur confirme aujourd'hui son appartenance à une confrérie dont je suis exclue : celle des bipèdes parlants. Raymond l'emporte hors de ma chambre, hors de mon monde.

Tant que Safiya n'utilisait que des gestes pour s'exprimer, je pouvais prétendre faire paire avec elle, même si elle avait sur moi l'avantage de la mobilité. Nous avions la même peau café au lait, les mêmes boucles noires et les mêmes yeux bruns, et nous dépendions de la même interprète surmenée pour nous faire comprendre.

Magalie s'affaire autour de moi, inconsciente de mon indémaillable solitude. Elle prend les vêtements qu'elle a préparés la veille et déposés sur mon chiffonnier : un col-roulé blanc, des salopettes bleues et des bas assortis. Elle remplace ma couche souillée de la nuit, m'habille, puis me sangle dans mon fauteuil. Dans un peu moins d'une demi-heure, le minibus jaune viendra me chercher et me conduira à l'école.

D'ordinaire, j'attends ce moment avec impatience ; j'aime l'école.

— Tu as l'air bien morose, dit Magalie qui s'est agenouillée devant moi pour attacher mes souliers.

J'aimais l'école.

— Te sentirais-tu coupable d'avoir mordu ta sœur ?

Elle ne comprend pas. Elle comprend de moins en moins. Elle est encore mon arbre, mais je suis devenue le vent dans ses branches.

Bien sûr, je regrette l'intempestivité de mes mâchoires. Toutefois, ma morosité coule de sources plus obscures ; des sources lointaines, qu'alimentent les glaciers de la nostalgie et qui se faufilent à travers la brèche ouverte par Safiya à coup de mots. Comme jadis sur la côte du Pacifique, je me sens appelée ailleurs.

Je me demande pourquoi fatiguer mon corps en aller-retour cahoteux, attendu que les choses apprises à l'école ne me serviront à rien. Elles ne sont guère plus qu'un divertissement. Le monde de Magalie, de Raymond et de Benoît n'est pas le mien. Malgré tous mes efforts pour m'y immiscer, il ne sera jamais le mien. Même accoutrés en grenouilles souffleuses de bulles, les humains ne supportent pas la pression des grands fonds marins, où vivent raies, murènes et calmars géants. Moi, je ne supporte pas la pression des usages et servitudes terrestres.

Safiya n'a pas ouvert la brèche ; elle l'a rouverte. Combien de fois me faudra-t-il la colmater ? La tortue des Galapagos vit jusqu'à deux siècles ; l'éphémère, au plus quarante-huit heures. Tic-tac, tic-tac... Petite brèche deviendra canyon. Ce n'est qu'une question de quand.

Alors, sans entraves, je volerai vers cet ailleurs où n'existe pas la solitude, où tout danse et chante en polyphonie. Avant, je dois cependant achever ce qui a été commencé. À l'hôpital, je ne pensais qu'à rentrer à la maison. Encouragée par l'amour de grand-mère Colette, j'ai lutté de toutes mes forces contre les papillons noirs et l'engourdissement, dans l'attente de ce retour maintes fois reporté. Or, l'envie de capituler, il s'emparerait de moi dans le confort douillet du foyer familial? Je ne comprends pas. Je sais seulement que je dois aller jusqu'au bout de ce qui a été commencé. Coûte que coûte.

La tristesse ne me quitte pas de la journée. Elle croît, se creuse. Au retour de l'école, elle est devenue un puits sombre et glacial au centre de ma poitrine. Safiya, elle, sourit pourtant. Elle m'a déjà pardonné. J'attends mon propre pardon. Dans ma tête, les événements du matin rejouent en boucle. Je n'ai jamais voulu causer de souffrances à qui que ce soit, surtout pas à Safiya.

Me voilà déphasée, comme Magalie incapable de vivre le moment présent parce que je me suis empêtrée dans une émotion périmée et refuse de la laisser partir.

Selon Benoît, l'eau du Richelieu rend les poissons malades. Je n'échappe pas non plus à l'influence de mon environnement. Néanmoins, je dois achever ce qui a été commencé et, pour le meilleur ou pour le pire, Safiya et moi frayons dans la même rivière. Qu'est-ce qui l'a poussée à grimper dans mon lit? «Moi amie.» En deux mots, elle m'a offert son amitié. J'aurais pu répondre autrement que par mes dents.

Je me console finalement dans la frénésie des Fêtes. Leurs couleurs et leur musique secouent la lourdeur, que le vent d'hiver, *sifflant, soufflant dans les sapins*, emporte loin. Safiya exulte à la vue de l'arbre et des cadeaux de ce

Noël — son deuxième. Elle développe un à un, presque sans aide, les paquets qu'on lui offre. Elle développe aussi les miens.

Grand-père Bertrand grogne devant cet étalage consumériste ; grand-père Farah applaudit. Raymond a convaincu en secret ce dernier de venir passer chez nous quelques jours. Il a voulu de cette façon amadouer Magalie, je suppose. Car si je peux voir la distance croissante entre mes parents, nul doute que Raymond, lui, la sent. Il préside fièrement les grandes tablées de ces heures hors temps, peut-être les plus belles de ma famille. Fidèle à lui-même, Raymond économise toutefois ses mots. De toute façon, Farah et Bertrand parlent assez pour trois. Personne n'arrive à suivre leur conversation décousue, qui mêle l'anglais, le joual et le français — pas même eux ! Ce qui ne les empêche pas de jouter avec verve. De temps à autre, Colette et Magalie jettent un regard dans leur direction. Elles haussent les épaules ou un sourcil, puis elles reportent leur attention sur nous les enfants, sur la vaisselle, sur les potins locaux ou sur les plus récents événements dans la saga familiale.

La parenté repartie, la maisonnée a quelques jours pour reprendre son souffle avant de retourner à la routine. Benoît passe le plus clair de son temps dehors, sur ses patins. Pour Raymond, bien sûr, les Fêtes ne changent pas grand-chose : les vacances n'existent pas pour les fermiers. Nous, les filles, nous en profitons pour flâner en pyjama et robe de chambre jusqu'à dix heures. Nous ne sommes d'ailleurs pas encore habillées le matin où Linda Saucier vient nous souhaiter la bonne année, les bras chargés.

— Je ne t'attendais pas aussi tôt. Avoir su, je me serais habillée…

— Y'a pas de gêne, répond Mme Saucier tout en essayant de se tenir en équilibre sur une jambe pour se déchausser.

Elle vacille et pose une main sur le mur pour éviter la chute. Magalie retient un éclat de rire.

— Linda, chaussée de talons de cette hauteur-là, moi, j'aurais du mal à me tenir sur deux jambes. Assieds-toi donc pour enlever tes bottes! Un plâtre, ça jurerait avec tes jolis tailleurs.

Pendant que Mme Saucier se déchausse, Magalie m'installe sur le tapis du séjour, dans mon positionneur latéral. L'appareil m'a été prêté en remplacement de mon verticalisateur juste avant Noël, parce que je ne tolère plus la station debout. En effet, j'ai des douleurs croissantes à la hanche droite. Mes protestations ont d'abord passé pour un caprice. J'avoue qu'il m'est arrivé de verser des larmes de crocodile pour plier des adultes à ma volonté (je n'y vois pas de mal, puisque 99 % du temps, je dois me plier à la leur). Magalie a compris ma sincérité le jour où, au bout de quinze minutes dans «l'appareil de torture», je ne desserrais toujours pas les dents, malgré la promesse d'un carré de chocolat.

Les investigations médicales débuteront bientôt, je sais. Les sarraus-blancs ne se lassent pas de me palper, de scruter mon intérieur et d'inventer de nouvelles façons de me tourmenter. En attendant qu'ils tranchent, on a relégué au sous-sol mon verticalisateur. Je constate cependant que tout le monde partage le même objectif : m'y ficeler de nouveau, et le plus rapidement possible. Même Raymond, qui détestait plus que moi la chose quand elle a fait son entrée dans la maison! On invoque les bienfaits de la station debout pour mes poumons et mes os en croissance, mais je ne suis pas dupe : verticalité rime avec normalité.

Magalie dépose mon petit magnétophone près de moi, glisse une paire d'écouteurs sur mes oreilles et enfonce le bouton lecture. Mme Saucier, enfin déchaussée, nous rejoint. Elle a sorti Safiya de sa chaise haute et la fait sautiller dans ses bras. Magalie pointe du doigt une couverture et quelques jouets dans un coin de la pièce. Mme Saucier y assoit ma sœur et dispose les jouets en demi-cercle devant elle : une poupée mulâtre, un xylophone multicolore et la ferme à Maturin, peuplée d'animaux qui font entendre leurs meuh, bê-hê-hê, cocorico lorsqu'on appuie dessus. La ferme m'appartient ou plutôt m'appartenait. On me l'a offerte l'an dernier, mais je l'ai boudée : elle n'était vraiment pas de mon âge ! Mon développement moteur ne m'emballe déjà pas particulièrement (tout ce travail me semble une perte de temps et d'énergie), alors il ne faut pas y ajouter l'insulte en prétextant des motifs thérapeutiques pour m'imposer des jouets de bébé.

Dans le magnétophone, Magalie a mis une de ses vieilles cassettes de musique disco. Elle a réglé le volume assez fort. J'aime le disco, et j'aime écouter ma musique à plein volume. Sauf que, pour l'instant, je suis davantage intéressée par la conversation des dames que la musique.

Magalie ne me fait plus de confidences depuis l'opération à ma colonne. À bien y réfléchir, elle a commencé à prendre ses distances avant. Tout a basculé la nuit où elle entra dans ma chambre le regard plein de statique et resta figée de longues minutes à mon chevet, mon oreiller dans ses mains. Je m'ennuie de l'intimité ombrageuse qui fut la nôtre, quand je savais tout d'elle et elle, tout de moi. Il n'existait pas de frontières en ce temps-là. Nous étions inséparables. Je ressentais son ennui, ses angoisses et, aussi, ses bonheurs — rares et rapidement tiédis. Je m'y savais unie, comme à tout le reste d'ailleurs. Les bistouris ont coupé plus que mes chairs. Entre Magalie et moi, il ne subsiste, à vrai dire, que la familiarité corrosive des soins.

Mme Saucier s'absente quelques secondes et revient avec un des sacs laissés près de la porte. Elle en sort un panier cellophané. Le visage de Magalie exprime à la fois le malaise et la gratitude devant le cadeau. Tandis qu'elle le déballe, je me concentre sur le magnétophone. Je la soupçonne d'avoir mis la musique aussi forte pour masquer leurs voix. Elle ignore que je parviens maintenant à tourner moi-même la roulette du volume, quoique cela me prenne du temps et me demande plusieurs essais.

Par mégarde, j'augmente le son au lieu de le réduire. Pendant une bonne minute, la musique rudoie mes tympans avant que je ne réussisse à ramener la roulette à zéro. D'avoir manqué le début de leur conversation, je suis d'abord désorientée. Je ne comprends pas ce que le mot *alibi* vient faire dans leur bouche. Il appartient à la fange, comme *fourbi*, *combine* et *zombi*, avec lesquels il partage une syllabe.

Elles s'interrompent le temps qu'il faut pour préparer du café. Magalie profite de l'interlude pour s'habiller.

— Je suis bien contente de t'offrir du répit de temps en temps, ma chouette. Tu as l'air plus détendue, heureuse presque. Mais pourquoi le secret?

— Pour Raymond, «répit» est un gros mot. On n'est pas censés se décharger de nos responsabilités sur les autres.

— Franchement! Tout le monde a besoin de répit de temps à en temps.

Magalie hausse les épaules.

— Alors, vas-tu me dire un jour où tu vas pendant tes après-midi de répit? Tu me connais…

— Je commence à te connaître.

Assises chacune à un bout du sofa, elles se regardent par-dessus leur café.

— Oui, enfin, tu me connais assez pour savoir que je suis douée pour la fabulation. Ça peut être dangereux de me laisser remplir les blancs.

Elles échangent un regard complice. Je me demande comment Linda Saucier a finalement apprivoisé Magalie. Quand je suis partie à l'hôpital pour ma première grande chirurgie, elle n'était rien de plus que la mère de Guylaine, notre gardienne.

— Certains après-midi, je vais tout simplement marcher dans la montagne. D'autres…

Magalie baisse les yeux et, d'une voix à peine audible, ajoute que, d'autres après-midi, elle pratique un tout autre genre d'activité physique.

— Du cardio horizontal?

— Pas si fort!

Linda couvre promptement sa bouche avec sa main libre. Je ne comprends pas grand-chose à leurs demi-mots. Que cherchent-elles à dissimuler?

— Ça me permet de résister à l'envie de faire ma valise, explique Magalie.

— C'est quelqu'un que je connais? Comment l'as-tu rencontré? J'veux dire, pour une mère au foyer, les occasions de faire des rencontres ne pleuvent pas.

— Faire des rencontres, il n'y a rien de plus facile. Ça pleut, les hommes en quête de rendez-vous *no strings attached* — qui cherchent seulement à combler certains besoins. Il suffit d'un téléphone. Non, ce qui est difficile, après avoir nié aussi longtemps mes besoins, c'est de ne pas tomber dans l'excès.

Il y a sur son visage la même faim que sur celui de M. Pierre quand il lui effleurait la nuque. Elles parlent de l'amour, comment il naît et meurt ; des contraires qui s'attirent pour ensuite se repousser.

— Ma chouette, si ça va aussi mal avec Raymond, pourquoi tu ne pars pas ?

— Tu me vois seule avec trois enfants, dont une handicapée ?

— Je sais que, toi et moi, on a un accord tacite, qu'il y a des sujets dont je ne suis pas censée parler. Mais les vraies amies se disent tout, et j'ai besoin de comprendre si je suis pour t'appuyer comme une amie est supposée le faire.

— Où veux-tu en venir, Linda ?

— Pourquoi au juste as-tu choisi d'avoir un troisième enfant ? Tu en portais déjà beaucoup sur tes épaules. La pression additionnelle n'a sûrement pas aidé ton couple.

— Ce n'était pas une décision rationnelle. En fait, si j'étais croyante, je dirais que c'était un acte de foi.

Le regard de Magalie glisse vers la gauche, puis revient vers son interlocutrice.

— Raymond et moi, notre amour a atteint son summum la nuit où nous avons conçu Safiya, explique-t-elle avec une lenteur mélancolique. Safiya est la matérialisation de cet amour. *So*, je ne regrette pas de l'avoir mise au monde, même si certains jours, je me lève épuisée. C'est le plus beau cadeau que j'aie reçu de Raymond, cette petite fille parfaite, que je peux aimer sans arrière-pensée…

— Et Corinne, tu l'aimes aussi ? demande Mme Saucier d'une voix éteinte.

Magalie ne répond pas immédiatement. Elle caresse le bord de sa tasse tout en regardant vers moi, à travers moi.

— Oui, bien sûr, mais c'est un amour plus compliqué. C'est un amour taché par la colère, le sens du devoir, la culpabilité, la… Quand elle est née, on a cru qu'elle ne survivrait pas. Une partie de moi refuse encore de s'y attacher, par peur de souffrir, parce que je continue de penser qu'elle va nous quitter d'une journée à l'autre.

Un long silence suit son aveu. Plus personne ne respire, à part Safiya dans sa bulle d'innocence. Mme Saucier s'arrache la première à cette apnée collective.

— Et la tache, à la longue, elle s'est étendue, elle a terni ton amour pour Raymond?

Magalie acquiesce de la tête.

J'ai envie de lui crier : «J'ai besoin de ton amour autant que Safiya, et même plus!» Je voudrais qu'elle me serre dans ses bras, qu'elle me serre tout contre son cœur. J'ai si froid, si froid sur ce plancher. Elle, qui a voulu par tous les moyens me retenir; elle, qui m'aurait donné la terre et la lune, m'a trahie.

Soit, sa peur, je l'ai toujours sentie, mais je croyais notre amour assez fort pour la neutraliser. De confidente et demoiselle de compagnie, j'ai été rétrogradée au rang de «petite fille brisée». J'ai accepté avec détachement mon changement de statut, parce que je voulais croire que, même brisée, j'étais aimée. Or, voilà qu'elle déclare à présent ne pouvoir m'offrir qu'un amour taché, comme s'il existait des classes d'amour. Par définition, l'amour ne juge ni ne discrimine. Prétendre qu'il en existe plus d'une classe, qu'on aime différemment deux êtres, c'est discriminer; ce n'est pas aimer.

Je suis tentée de pousser à fond le volume. Cependant, la curiosité m'incite à écouter jusqu'au bout afin de mesurer toute la portée de sa trahison.

— Raymond et moi n'en sommes pas à nos premières difficultés. Il y a quelques années, je me suis enfuie sur la côte Ouest avec Corinne. J'y suis restée plusieurs mois.

Mes yeux secs détaillent la scène : ses vêtements, sa posture, la brillance bleutée de la lumière hivernale qui frappe son front. Ce moment restera éternellement gravé en moi. Je pourrais choisir de l'oublier, bien sûr, y superposer un autre montrant plutôt l'abnégation de Magalie. Je ne le peux pas, je ne le veux pas. Je veux me souvenir du froid dans mes os et de la souillure de ses paroles, qui ont avili l'étoffe des jours, la réduisant à un tissu de mensonges.

Mon âme se serait donc appesantie au point de s'enticher d'atmosphères glauques ? Entre nous, tout n'a pas été mensonge pourtant. De mémoire, je peux encore savourer les nectars subtils de nos joies quotidiennes, faites de sublimes insignifiances, d'occasionnels triomphes et d'erreurs magiques. Il y en a beaucoup, dont ce doux après-midi où un embouteillage inextricable devint prétexte à un détour scénique et à un pique-nique improvisé au bord des écluses. Safiya roucoulait accrochée au sein de Magalie, les carottes sauvages se balançaient au vent et ça sentait bon le trèfle blanc. Raymond n'eut pas même un rictus. Il nous entretint de pelleteries et de stratégies militaires, soulignant que, les unes comme les autres, avaient été tributaires de la rivière.

— Je suis finalement rentrée quand Benoît est tombé malade, dit Magalie. Ça m'a fait l'effet d'un électrochoc, et je me suis alors juré d'être à l'avenir une mère exemplaire, de rester fidèle à mon mari et à mes enfants coûte que coûte. Je me suis promis que rien ne me ferait sortir du droit chemin.

— Qu'est-ce qui a causé l'embardée ?

Magalie vide sa tasse, la dépose sur la table à café et replie une jambe sous son menton. A-t-elle seulement encore conscience de ma présence, là, à moins de trois mètres ? Une certaine intonation dans sa voix donne l'impression qu'un morceau d'elle flotte ailleurs, loin de cette pièce.

— Raymond a perdu mon respect. Un mariage peut survivre sans amour, mais sans respect... La soirée avait pourtant bien commencé. Raymond avait décidé de jouer la carte du romantisme.

Correction : un morceau d'elle a ramé à rebours du temps. Il flotte dans cette pièce, mais hors de ce moment. Je revis avec elle la désolante soirée qui avait, en effet, bien commencé. Si seulement Magalie avait laissé le fascicule bleu dans ma chambre ; si seulement j'avais prétendu ne rien comprendre aux matrices maudites plutôt que de démolir les illusions de mon père sur mon inintelligence !

— Puis il a eu le culot de dire qu'il vaudrait mieux que notre fille soit un légume, que ça serait moins cruel.

Magalie retient les larmes qui affleurent.

— Sa remarque m'a dégoûtée. Moi, j'étais contente de savoir que Corinne pouvait nous comprendre : pour une fois que je pouvais célébrer ses capacités plutôt que de gérer ses limitations. Raymond, lui, s'obstinait à voir seulement le négatif.

Les ailes de son nez tremblent. Elle continue à déballer son histoire sous le regard stupéfait de Mme Saucier.

— Je l'ai pris comme une désertion. Pendant des semaines, j'ai refusé qu'il me touche. Je me suis mise à rêver d'une chambre à moi. Pour éviter de me retrouver près de lui, je faisais semblant de m'endormir sur le sofa ou, encore, je me relevais aussitôt couchée en prétextant que j'avais entendu Corinne et finissais recroquevillée à côté de l'un ou l'autre des enfants. Une nuit où je n'arrivais pas à dormir, j'ai allumé le téléviseur et je suis tombée sur une annonce des services de rencontre LesZaimants. J'ai appelé et, de fil en aiguille...

— Tu continues d'éviter le lit conjugal ?

— Non. Physiquement, j'ai regagné ma place à côté de mon mari ; mais, ma tête et mon cœur, eux, sont ailleurs.

— Raymond ne soupçonne rien.

— Je ne sais pas. Raymond... *Ray does not like to rock the boat.* Il va jouer l'autruche le plus longtemps possible. J'imagine qu'il pense bien faire en se taisant. Nous n'avons jamais vraiment parlé de ma première fugue.

À cause de moi, ils ont cessé de communiquer. Pourtant, à cause de moi, ils devront tôt ou tard rompre le silence. Ils ne pourront pas indéfiniment différer certaines décisions, parce que ma santé se détériore.

— Lors de sa dernière visite chez la docteure, il a été question d'une nouvelle chirurgie pour relâcher ses tendons, de son institutionnalisation éventuelle même... J'ai peur : peur pour elle et peur de la réaction de Raymond quand je vais aborder tout ça avec lui. J'ai peur qu'il me laisse décider toute seule, comme à son habitude.

Je remonte le volume : j'en ai assez entendu, et Linda Saucier aussi, je crois ! En effet, elle ne tarde pas à partir. Une fois Safiya couchée pour sa sieste matinale, Magalie me soulève et me transporte jusqu'à mon lit afin de m'habiller. Serrée contre sa poitrine, j'entends les battements réguliers de son cœur ; le mien saute une pulsation sur trois.

J'aurais préféré rester sur le plancher. Encore sous le choc des révélations de Magalie, j'aurais voulu pouvoir digérer dans la solitude. Comme pour exaucer mon souhait, voilà que je sens mon esprit sur le point de s'élancer pour une bienheureuse envolée : une bouffée de chaleur me submerge, ma vision se brouille tandis que les bruits familiers se dissolvent dans un déferlement de vagues.

Je regarde de loin mon corps secoué de convulsions. Lorsque le calme revient dans mes membres et que ma conscience réintègre son vaisseau charnel, je n'aspire qu'à dormir. Magalie me retire lentement mon pyjama trempé de salive, en laissant courir au passage ses doigts sur ma peau. Ce contact suscite en moi une enfilade de questions que je m'empresse de souffler comme d'autres soufflent les aigrettes blanches des pissenlits mûrs au printemps. Ici et maintenant, ces doigts me souhaitent un bon retour. Cela devrait me suffire.

Une question résiste cependant à mon souffle. J'ai beau m'époumoner, déclencher des ouragans dans ma tête, dans mon cœur et dans l'éther, elle demeure : quelles sont donc les forces obscures qui érodent la plénitude et salissent l'amour ?

La tristesse et la confusion de cette journée s'estompent dans la succession des jours. Les Fêtes terminées, chacun reprend son train-train avec un certain soulagement, voire avec enjouement. À l'école, on essaie de m'inculquer des notions d'arithmétique avec des billes de bois de différentes couleurs. Mon journal de bord fait état de mes progrès quotidiens. Magalie les résume à voix haute pour Raymond, qui s'y montre toujours indifférent.

Comme tourne la roue des saisons, mes interrogations reviennent. À nouveau, je sonde les forces dont procèdent l'érosion et le salissage. Un matin de novembre, un matin pareil à tant d'autres, mon frère dépose sur la table son bol de flocons de maïs garnis de fraises et repousse de sa main libre le journal abandonné là par Raymond. Mon frère ne partage pas l'intérêt de notre père pour l'actualité, pas plus que sa révérence pour l'odeur de l'encre fraîche. Alors, qu'est-ce qui retient cette fois son attention ? Benoît ramène vers lui une des pages nauséabondes et, assis sur le bout de sa chaise, se met à lire à voix haute : « Il a tué par compassion sa fillette handicapée ».

— Qu'as-tu dit ? demande Magalie depuis la cuisine.

Benoît ne répond pas. Il continue à lire, mais des yeux seulement. L'étrange silence qui descend alors sur la maison tire Magalie de la cuisine. Elle s'immobilise à la vue de son fils penché sur le journal.

— Benoît, tu m'as appelée ?

Mon frère lève alors la tête vers elle. D'où je me trouve, je ne peux voir l'expression sur son visage, ni sur celui de Magalie d'ailleurs.

— Maman, demande enfin Benoît, qu'est-ce que c'est, la compassion ?

— C'est ce qui porte à vouloir aider les gens vulnérables ou dans le besoin.

— Ah! Comme ta mère, qui a soigné les malades en Afrique ?

— Oui, et comme toi quand tu as pris la défense de Rico à l'école.

Benoît reste un instant songeur, puis demande :

— Maman, tuer, c'est mal ?

Magalie jette un coup d'œil au journal, réunit rapidement les feuilles et forme un rouleau qu'elle serre contre sa poitrine.

CHAPITRE 11

La perfection est un état d'âme

L'ÉCOLE A renvoyé tout le monde à la maison avant l'heure, pourtant il ne tombait qu'une insignifiante pluie froide.

C'était la première journée après le congé des Fêtes, et je me faisais une joie à la perspective de prendre un bain dans la piscine de l'école. J'aime flotter. Dans l'eau, je goûte la perfection. J'y suis heureuse comme un épaulard, même si je n'ai pas la capacité des formidables cétacés à onduler et à bondir.

Bien sûr, la piscine de l'école est d'abord un lieu de conditionnement et la baignade, une séance de physio-thérapie. Toutefois, mes exercices terminés, on me laisse profiter de quelques moments de détente. Soutenue par mes flotteurs, je peux alors ondoyer sans but, sans penser à quoi que ce soit, affranchie de la douleur.

Pour mon dernier anniversaire, la docteure Perrot a convaincu mes parents d'approuver une intervention sur les tendons de mes jambes, qui continuaient à fouler comme de la mauvaise rayonne au lavage. La chirurgie n'a pas donné les résultats escomptés : il y a eu des complications, que personne n'a d'ailleurs cru bon de m'expliquer. Je me suis réveillée en hurlant. J'avais la sensation d'être transpercée par un million d'aiguilles. Moins de neuf mois après, je retournais sous le bistouri pour ce que Raymond a appelé une «opération de renflouage», parce que je ne tolérais plus la position assise. Ma capacité de mouvement autonome, déjà limitée, s'en est trouvée réduite; mais la docteure, elle, s'est félicitée du résultat : je me suis rétablie en un temps record et j'ai pu de nouveau m'asseoir.

Chaque fois qu'elle me voit, la docteure Perrot trouve matière à désapprobation et se fait un devoir de suggérer des correctifs. Elle prescrit avec imagination les refaçonnages. Elle me voudrait pâte à modeler entre ses mains. Quelqu'un devrait lui acheter quelques boîtes de *Playdough*. Depuis peu, cette chère docteure a recommencé à parler de mon déficit pondéral. Elle prône le gavage. Magalie veut bien (à l'évidence, elle garde foi dans la médecine et ses adjuvants), mais encore lui faudrait-il convaincre Raymond de la nécessité et de l'innocuité de la chose. Le *veto* paternel résiste pour l'instant à ses efforts de persuasion.

— Pas question d'alimenter notre fille par un tube!

Leur désaccord m'épargne une autre chirurgie. Ouf! Ma collection est déjà bien assez garnie. Sauf que, entre-temps, l'anxiété de Magalie grimpe. Ainsi, à l'obsession des fonds de bols s'est ajoutée celle de la pesée : une fois par semaine, généralement le samedi, Magalie me prend dans ses bras, monte avec moi sur la balance, puis soustrait à haute voix son poids du chiffre indiqué. Il va sans dire que le résultat ne la satisfait jamais.

Pour son treizième anniversaire, Benoît a reçu une guitare. La première fois qu'il en a changé les cordes, il a trop tourné une des chevilles : la corde dont l'extrémité était enroulée autour de cette cheville a cassé. Je crains que Magalie ne se casse. Voilà la folle idée qui m'assaille quand j'aperçois sa silhouette filiforme s'approchant de l'autobus.

— Beau temps, hein! lance-t-elle au chauffeur.

Elle a jeté un manteau sur ses épaules sans se donner la peine de le fermer. Le crachin lui fait plisser les yeux et, bientôt, forme sur sa tête crépue un filet de gouttelettes blanches.

— Bah! C'est pas si pire… Pour l'instant, les routes sont encore belles, mise à part la montée icitte, le long de la rivière.

Elle saisit les poignées de mon fauteuil dès que la plateforme hydraulique se tait et me pousse alors au pas de course jusqu'à la maison, jusqu'au haut de la rampe. Je tape en cadence sur mon appuie-pieds avec ma jambe gauche.

— Tu veux que j'aille plus vite encore? Mais nous allons avoir un accident!

Je ris, de ce rire chantant qui est le mien; un rire en cascade sur trois notes, terminées par un ou plusieurs cris aigus quand je ne me possède plus. Magalie y répond par des acrobaties : c'est sur deux roues que nous franchissons le seuil, puis elle m'entraîne dans une série de pirouettes avant de mettre nos manteaux à sécher sur la patère. Fatiguée d'avoir tant ri, je m'endors devant le téléviseur tandis qu'elle s'affaire dans la cuisine.

Le reste de la journée se déroule normalement, mais le lendemain, je m'éveille grelottante sous mes couvertures.

Je prête l'oreille aux bruits ambiants et m'étonne de ne pas entendre les ronronnements de la chaudière et de sa soufflerie. Magalie ne tarde pas à venir me tirer du lit. Sur-le-champ, elle m'enfile un pantalon et un chandail molletonnés. Par-dessus le chandail, elle me passe une veste de laine, puis m'assoit dans mon fauteuil. En moins de deux, nous quittons ma chambre pour le séjour où Raymond, accroupi devant la cheminée en pierre des champs, attise les premières flammes d'un feu.

Safiya surveille attentivement chacun de ses gestes et, de minute en minute, s'approche de l'âtre.

— Safiya, recule un peu, commande Raymond.

Ma sœur obéit, pour reprendre aussitôt sa tactique. À six ans, elle a déjà une volonté implacable (Magalie use généralement de ruse et de diversion plutôt que de s'y colleter). « De la graine de Thatcher », persifle volontiers grand-père Bertrand. Safiya et moi semblons les seules à ne pas saisir l'allusion, qui déchaîne immanquablement les foudres maternelles. Bertrand prend d'ailleurs plaisir à provoquer Magalie, comme si, entre eux, le picossage avait remplacé la conversation : ils rivalisent de subtilité pour embrouiller les insultes et les taquineries. Colette et Raymond ne s'en mêlent plus. Sans doute n'est-ce pas la réconciliation qu'ils auraient souhaitée après le *Grand froid*, mais, au moins, le pure-laine et l'importée se tolèrent.

— Safiya, appelle Magalie. Tu viens m'aider ? Il faut fermer toutes les portes pour garder notre chaleur.

Raymond jette un regard derrière lui pour confirmer que Safiya a bien suivi sa mère, puis ramène son attention sur les flammes. Quand leurs langues jaunes et bleues atteignent une vingtaine de centimètres, il leur fait l'offrande de deux bûches énormes. Benoît entre à ce moment-là et dépose sur la tablette du foyer une caisse pleine de bûches aussi grosses. Il y a là de quoi alimenter le feu pendant plusieurs heures. Que se passe-t-il donc ?

Je remarque alors le panneau tout noir du magnétoscope, où s'affiche d'ordinaire l'heure en chiffres verts. En fait, pas un seul appareil électrique ne fonctionne dans la maison. En tournant la tête, j'aperçois du coin de l'œil les branches de notre érable, qui scintillent dans la lumière du matin. Pendant que nous dormions, une fée a transmué l'arbre en cristal. Naturellement, les grands nieront la féérie et verront plutôt là l'œuvre maléfique du verglas. Moi-même, je ne suis plus certaine de croire aux fées (pourtant, j'attribuais naguère aux battements de leurs ailes la danse capricieuse de la poussière dans les rayons du soleil). Néanmoins, je ne peux m'empêcher d'écarquiller les yeux devant la beauté fantastique du décor.

Au-dedans, la scène est aussi captivante. Je délaisse vite mes questionnements sur l'invisible et ses peuplades pour suivre les échanges entre les membres de ma famille dégourdie par l'imprévu.

— J'peux le faire, maman. Laisse-moi faire!

— Tu l'as trouvée? demande Raymond.

— Exactement à l'endroit où je t'avais dit, répond Magalie en brandissant une petite radio portative.

— Maman...

Safiya réussit à s'emparer de la radio, mais le compartiment à piles lui résiste. Magalie récupère le poste, y insère en un tournemain les piles et l'allume. «... millimètres de verglas... crschiii... prévisions d'Environnement Canada... crschiii...»

— J'ai faim. Quand est-ce qu'on mange? demande ma sœur.

Raymond l'attrape et la serre contre lui. Il susurre quelque chose à son oreille. Safiya émet un petit rire et hoche la tête. Pendant ce temps, Magalie tente d'améliorer la réception en faisant glisser la roulette de la radio. «650 000 abonnés sont privés d'électricité ce matin. Hydro-Québec estime que les réparations...»

Plus personne ne parle. Hormis la radio, on n'entend que les crépitements du feu. Le bulletin terminé, Raymond et Magalie échangent un regard.

— Bon, on en a pour un moment avant que le courant soit rétabli. Pas de traite ce matin. Je vais attendre vers la fin de la journée, au cas où la panne serait réparée d'ici là. Je vais quand même faire une tournée de l'étable. Benoît, tu viens me donner un coup de main?

Pour toute réponse, Benoît rechausse ses bottes et enfile son manteau. Magalie est déjà dans la cuisine. J'entends un claquement de casseroles, et la voix de Safiya qui s'impatiente :

— Qu'est-ce qu'on mange, maman?

— Tu veux un bol de céréales?

— OK, mais sans lait, répond ma sœur dépitée.

Elle a une profonde aversion pour les rondelles d'avoine et les flocons de maïs détrempés.

— Prends la sorte qui te tente dans l'armoire. Mais, s'il te plaît, ne mange pas directement dans la boîte : verse-les dans un bol! Quand nos hommes rentreront, je te préparerai une rôtie avec une tasse de chocolat chaud, si tu veux.

— Miam-miam!

Safiya retrouve instantanément sa bonne humeur et Magalie entreprend alors de transformer le foyer en cuisinière. Elle pose sur les braises une bouilloire ternie et bosselée, sans doute plus vieille que nos deux vies additionnées. Elle étale ensuite sur la margelle un étrange attirail, parmi lequel une fourchette au manche très long. Cela fait, elle retourne à la cuisine et en revient avec un pot de purée qu'elle agite dans ma direction.

— Pommes, bananes et avoine, annonce-t-elle.

Magalie me donne rarement des purées commerciales, mais elle en garde toujours sous la main pour dépanner.

— Après, ça te plairait aussi une tasse de chocolat chaud ?

J'en suis à ma dernière cuillerée quand Benoît et Raymond reviennent de l'étable. Sur leur passage, une grande bouffée d'air humide s'engouffre dans la maison.

— … pas le choix. C'est pour ça que ton grand-père a acheté la génératrice, d'ailleurs. Sinon, y'a un risque de mastites. Il vaut mieux être prêts. À moins que tu préfères traire à la main ? lance Raymond en passant un bras autour des épaules de Benoît. On a 52 bêtes. Mettons que, une fois la technique maîtrisée, tu pourrais atteindre une vitesse de 10 vaches à l'heure…

Raymond s'immobilise et se tait un instant, sans doute pour mieux juger l'effet de ses paroles, puis il éclate d'un rire goguenard et resserre affectueusement son étreinte. Mon frère roule les yeux de cette manière nouvelle qui est la sienne depuis un an environ et qui semble tantôt dire « tu me soûles », tantôt « tu me prends pour un idiot ».

Passionné de hockey, doué pour les sciences et déjà fort connaissant en techniques laitières, Benoît montre un intérêt croissant pour la ferme et les diverses facettes de sa gestion. Raymond répond avec une volubilité inhabituelle à toutes ses questions sur le sujet. Il me paraît plus grand dans ces moments-là, fringant même.

Leur manteau enlevé, ils continuent tous les deux leur discussion au coin du feu, baignés dans une bonne odeur de chocolat, de rôties et de bois.

— Mmm… Y'a rien de tel que des *toasts* sur le feu, dit Raymond en mordant dans sa troisième tranche de pain.

Benoît acquiesce. Il sort juste à temps de l'âtre une dernière tranche, grillée à la perfection. Il la beurre et déchire, puis essuie avec les morceaux le fond de son bol de fèves au lard vide. Quand il a mangé jusqu'à la dernière croûte et terminé sa tasse de chocolat, il tourne la tête vers Raymond et, d'un air très sérieux, lance :

— J'ai lu sur la BST, la…

— La somatotropine bovine.

— Tu crois que l'industrie d'ici va emboîter le pas à celle des États-Unis et l'adopter?

— Ça m'étonnerait. On n'a pas besoin de la BST. On obtient déjà un bon rendement.

— Vous parlez de l'hormone de croissance, c'est ça? demande Magalie en se penchant pour ramasser leur vaisselle sale.

— Ouais… Une idée monstrueuse, sortie de la tête de scientifiques à la con qui n'ont absolument aucun respect pour les bêtes. Ces gens-là, ils achètent leur lait à l'épicerie dans des cruches en plastique, mais ils s'imaginent comprendre l'élevage laitier. Ils n'y entendent rien, ab-so-lument r-rien.

Raymond dépose une autre bûche sur le feu.

— Papa, t'as toujours voulu être fermier? Je veux dire, quand t'avais mon âge, tu te voyais reprendre la ferme?

— Que non!

— Qu'est-ce qui t'a fait changer d'idée? Y'a eu la maladie de grand-papa, mais il aurait pu vendre la ferme ou la louer…

— Jamais, jamais au grand jamais ton grand-père aurait accepté de vendre! Louer, peut-être, mais pas à n'importe qui. Il aurait fait abattre son troupeau plutôt que de le voir passer aux mains d'un étranger ou d'un bozo mettant le profit avant le bien-être des bêtes.

Grand-père Bertrand qualifie d'«étranger» quiconque ne parle pas sa langue, n'est pas né au Québec et a une couleur de peau différente de la sienne. Les Français, qui viennent de la «mère patrie», ne sont pas à proprement parler des étrangers à ses yeux, tandis que Magalie l'est. Quant à Benoît, Safiya et moi, je ne sais pas dans quelle catégorie grand-père nous range.

— Moi, je n'avais pas encore de « vraie » carrière, dit Raymond. Papa ne m'aurait pas pardonné si j'avais refusé. Il aurait considéré ça un manque de respect. Plus jeune, c'est vrai, j'associais la vie de fermier à une sorte d'enfermement, d'esclavage même. N'empêche, j'étais fier de mon père et du rôle de notre famille dans l'histoire de ce coin de pays.

J'assiste à un rare moment de communion entre père et fils. Est-ce parce que Benoît se rapproche de l'âge adulte que Raymond se sent plus libre de lui parler ? Ou serait-ce que le pouvoir hypnotique du feu, décuplé dans le silence des machines, a frayé la voie aux confidences ?

L'évocation de l'histoire laisse Raymond songeur. Pendant ce temps, Benoît bat des orteils au son d'une mélodie inaudible, jouée par un invisible orchestre dans sa tête. Tient-il le rôle de percussionniste, pianiste ou chanteur dans cet ensemble, ou n'en est-il que le spectateur ? Magalie, Raymond et Benoît ignorent tout des mondes que je visite. Ça me fait drôle de penser qu'ils ont peut-être, eux aussi, leurs mondes secrets.

— Tu parlais de l'importance du bien-être des bêtes pour grand-papa, tu sais que c'est une valeur fondamentale de l'agriculture biologique ? Je suis en train de faire une recherche là-dessus à l'école. C'est intéressant. On dit que c'est mieux pour les bêtes et pour nous autres, les humains.

— Le bio, c'est rien qu'une mode. C'est bon pour les nostalgiques, les passéistes. J'aime le goût des rôties sur le feu, mais je ne vais pas jeter notre grille-pain pour autant !

— Au Manitoba, un fermier est mort empoisonné parce qu'il a touché à mains nues des graines traitées.

— Bien sûr ! si un imbécile ne lit pas les instructions et manipule à mains nues des pesticides ou des graines traitées… Une automobile, entre les mains d'un ivrogne, ça tue aussi. Pourtant, il ne viendrait à l'idée de personne de suggérer un retour aux diligences ! Il faut se servir de sa tête. Tant qu'on respecte les normes fixées, il n'y a pas de problèmes.

— Mais, papa, les normes sont basées sur des tests en laboratoire qui ne sont pas bien pensés. Par exemple, ils ne tiennent pas compte des différences entre le métabolisme d'un adulte et d'un enfant, dit-il en pointant Safiya.

— Il soulève un point intéressant, intervient Magalie.

— Vous avez une idée, vous deux, ce que ça coûte, convertir une ferme au bio ?

Sans donner à Benoît le temps de répliquer, Raymond se lance dans une tirade sur son sujet de prédilection : la politique agricole. Benoît n'aime pas qu'on le tourne en dérision. Il est certain de la supériorité intellectuelle et morale de sa position. Je le vois. Je le sens. Et à la première occasion, il rétorque avec morgue que le jour où il tiendra à son tour les rênes de la ferme, il en fera une exploitation entièrement biologique.

— Les rênes de la ferme, je ne te les passerai pas si…

Assez ! pour l'amour… Je pousse un cri. Au centre de mon crâne, un mot détone : « assez ». Mais le son qui sort de ma gorge ressemble plutôt à une exclamation de douleur. Sa force détourne vers moi tous les regards et interrompt les rugissements de Raymond.

— Qu'est-ce qui va pas ?

— Je pense qu'elle a simplement voulu t'arrêter avant que la colère te fasse dire des sottises que tu aurais regrettées plus tard, répond Magalie.

Raymond secoue la tête en serrant les dents. J'acquiesce de la jambe. Magalie achève mon travail de pacification en réorientant la conversation : elle s'inquiète pour Bertrand et Colette qui sont probablement sans électricité, eux aussi, mais n'ont pas de foyer pour se chauffer.

Sans un mot, Raymond se lève et se dirige vers le téléphone.

— Pourquoi il ne veut jamais rien savoir de mes idées, hein? demande Benoît. Il s'imagine avoir toujours raison, que personne d'autre que lui ne peut avoir raison.

Magalie hausse les épaules. Elle se retient de parler, je crois. Mon frère ne cache pas sa déception : tronc affaissé, moue boudeuse et bras croisés, de tout son corps, il la crie.

Les adultes pensent souvent nécessaire de se taire par charité, même si leur silence blesse; parler blesserait, selon eux, davantage. Comment Magalie pourrait-elle ouvrir la bouche sans prendre position, sans dénigrer son mari ou bafouer les opinions de son fils? Il suffirait pourtant qu'elle dise à Benoît : «Je comprends ce que tu ressens».

Dehors, la pluie s'est remise à tomber. Magalie caresse la joue de son fils comme jadis, quand il était enfant.

— M'man!

— Pardon, je ne voulais pas t'offusquer. *Sometimes, I forget...* J'oublie que t'es plus mon petit garçon. Je me suis tellement inquiétée pour ta sœur, j'ai été tellement occupée à courir les physiothérapeutes, les travailleuses sociales et les médecins, que je ne t'ai pas vu grandir. Ma foi, t'es presque un homme! Mais, comme moi, Raymond voit encore un enfant quand il te regarde. C'est pour ça qu'il s'est emporté. Il juge qu'il n'a pas de conseils à recevoir d'un enfant. D'autant que, des conseils, ton grand-père ne se gêne pas pour lui en donner! *Give it time.* Donne-nous le temps de nous habituer… Une chose est certaine, ton père t'aime. Même fâché, il t'aime. N'en doute jamais.

Magalie lui serre une épaule. Cette fois, il ne la repousse pas, mais elle retire vite sa main afin de ne pas l'effaroucher et débusque Safiya, cachée derrière mon fauteuil. Des rires et bécots sonores fusent.

— M'man, j'vais aller me promener, annonce Benoît.

— Moi aussi! s'exclame Safiya. Moi aussi, j'veux aller me promener!

— Si ton frère est d'accord pour que tu l'accompagnes, et à la condition que tu mettes tes feutres et tes bottes de caoutchouc…

Mon frère et ma sœur s'éclipsent avec la bénédiction maternelle. Moi, je reste au chaud à méditer les méandres de l'amour terrestre. Les préoccupations de Magalie sont plus matérielles : il y a une pile de vaisselle à laver et un autre repas à planifier. Son appel terminé, Raymond vient l'aider.

Colette et Bertrand frappent à notre porte à l'heure où le ciel commence à noircir. Tous les bras valides participent au débardage de leur voiture, déversant sur la table conserves, bougies, couvertures, etc. On réaménage ensuite la salle de séjour en camping. Une obscurité caverneuse descend sur la maison. Cette nuit-là, nous couchons tous dans la même pièce, sur nos matelas disposés en demi-lune autour du foyer. Je combats aussi longtemps que je le peux le sommeil pour épier la conversation de mes parents, tout près de moi. À voix basse, ils font le bilan de la situation : Magalie se félicite d'avoir bien emmitouflé ses rosiers à l'automne; Raymond mentionne des branches cassées, qui ont évité de justesse une fenêtre, et se lamente sur le lait qu'il va falloir jeter si la panne s'éternise.

Quand se lève le matin, j'ai le bout du nez glacé. Personne n'ose sortir de sous les couvertures, sauf Raymond, gardien autoproclamé du feu, dont il a vite fait de raviver les dernières rougeurs. Progressivement, la pièce s'emplit d'une bonne chaleur. Des amoncellements environnants de draps, de catalognes et de courtepointes émergent des pieds chaussés de bas. Certains se lancent sans hésitation ; d'autres palpent d'abord le sol du bout des orteils. Les craquements des vieux os et du vieux plancher se joignent au crépitement des flammes. S'amorce ainsi une autre journée d'une lenteur désuète. Livres, racontages et casse-tête remplacent la télévision ; les repas, que Colette et Magalie cuisent dans l'âtre, paraissent miraculeux. Religieusement, on allume la radio pour le journal parlé et les prévisions météorologiques. La pluie verglaçante continue de tomber. Les pylônes soutenant les lignes électriques s'effondrent les uns après les autres sous le poids de la glace et, bientôt, le gouvernement décrète l'état d'urgence. De temps à autre, je surprends sur un visage une expression momentanée d'inquiétude ou de stupeur ; néanmoins, c'est une atmosphère de vacances qui règne dans la maison.

Cinq jours durant, la pluie tombe, mais le retour du beau temps ne signifie pas un retour à la normale. Il faut encore rebâtir le réseau de transport d'électricité que la nature a détruit. À la légèreté des vacances, succède le poids de l'attente.

— Par chance, on a tout ce qu'il faut, dit Raymond. Vous nous auriez vus, avec Corinne dans un de leurs gymnases transformés en refuges ? Non merci.

— C'est sûr, répond grand-père Bertrand. Tant qu'à ça, j'me verrais pas là non plus. T'y penses-tu ! Coucher dans un petit lit pliant… J'ai toute la misère du monde à entrer et puis à sortir de la voiture. Ta mère se serait *déconcrissé* le dos à m'aider. Mais, *calvaire!* j'peux pas croire qu'il va falloir attendre encore deux semaines avant de rentrer che' nous.

— T'en fais pas. Tu sais bien, papa, que ça nous fait plaisir de vous héberger.

— Certain! Notre forfait «lit, corvées et pension» est offert jusqu'au retour du courant, mais les prix pourraient être modifiés sans préavis, taquine Magalie.

Bertrand grogne. Raymond secoue la tête en roulant les yeux.

— Parlant de corvées, dit Colette à Magalie, que dirais-tu qu'on commence à préparer nos brochettes? J'aime laisser la viande mariner au moins une heure. Pour ce qui est de ton forfait, j'y changerais seulement une chose.

— Quoi donc?

— L'eau chaude. Je m'ennuie de prendre une bonne douche chaude!

— *I wish!* soupire Magalie, et toutes deux éclatent de rire.

En effet, une débarbouillette et une bassine ne valent pas une douche.

— Messieurs, vous êtes en charge des enfants, annonce Colette par-dessus son épaule, puis elle s'éloigne avec Magalie, bras dessus, bras dessous, vers la cuisine en causant des ravages de l'hyperindividualisme et des effets du verglas sur la conscience collective.

— Bon, la v'là partie! s'exclame Bertrand. Elle ne rate pas une occasion de faire son p'tit sermon sur l'interdépendance. Elle me le ressert chaque fois que j'ose me plaindre que chu pus capable de faire qu'que chose tout seul.

Colette et Magalie disparaissent de mon champ de vision, mais quelques secondes plus tard, cette dernière sort la tête de la cuisine le temps de commander à Raymond de m'administrer une dose d'expectorant.

— Ah oui! et pendant que tu y es, ça ne ferait probablement pas de tort de lui nettoyer le nez.

— Entendu.

Raymond se tourne vers son père :

— Tu viens? Ça sera plus facile si tu m'aides à la tenir.

— *Câlisse!* Tu vas pas te mettre toi aussi à me donner des leçons d'interdépendance, j'espère! réplique Bertrand à la blague.

De sa main valide, Bertrand maintient, tant bien que mal, mon corps penché vers l'avant. Il tremble légèrement.

— Ça fait pitié.

— Papa, commence pas...

— Je m'excuse, k'cé que tu veux : je m'habitue pas, 'stie. Heureusement que t'en as deux autres pour te rattraper. Aye! Safiya m'a raconté tout à l'heure que, lorsqu'elle serait grande, elle recoudrait les cœurs brisés. Elle en a 'dans, celle-là. P'is quand je regarde Benoît, c'est toi que je vois. Bon, vous avez pas le même physique, mais il a hérité de ton esprit rebelle.

Raymond ne bronche pas. Il fait doucement passer un filet d'eau salée dans mon nez puis m'invite à souffler. Une fois mes deux narines nettoyées, il porte à mes lèvres une cuillerée de sirop couleur raisin. J'ouvre sagement la bouche et avale. Je n'ai pas l'esprit rebelle de Benoît. Je n'ai pas non plus la vivacité de Safiya.

Je suis souvent l'épine dans le côté de Magalie qui l'aiguillonne à sortir du lit et la pousse à s'interroger tout en l'empêchant de fuir. Cet après-midi, je suis prétexte à un cœur-à-cœur entre Raymond et son père. Dans cette tanière, on jappe, on grogne; pourtant, on reste solidaires.

Je sombre peu à peu dans un demi-sommeil médicamenteux. Ce qui n'était qu'un rhume commence à ressembler à une pneumonie. Je connais bien les symptômes : les frissons, la transpiration, l'intraitable boa enroulé autour de ma cage thoracique...

— Sa température a encore grimpé, murmure Magalie. Elle n'a presque rien avalé au dîner. Peut-être devrions-nous l'emmener à l'hôpital. Je n'aime pas la couleur de ses lèvres.

— Attendons, tu veux ? Attendons, comme on avait convenu la dernière fois.

Je suis trop fatiguée pour suivre leur conversation ; trop fatiguée pour penser et pour voler. Je ferme les yeux, contente de me savoir bien entourée. Je somnole, grappillant à chaque heure quelques minutes d'un sommeil tempétueux, dont je m'éveille à bout de souffle. Nuit et jour se confondent. Les frissons s'intensifient et le boa resserre sa prise. Pourquoi ne fait-on pas venir un charmeur de serpent ?

Il y a d'autres discussions à voix basse entre Magalie et Raymond, et une tension qui va grandissant entre eux. Il y a Magalie penchée au-dessus de moi, épongeant mon front sous la garde de dragons cracheurs de feu, et Colette qui prend le relais à intervalles. Le reste du monde n'est qu'ombres et bruissements. Je finis par m'endormir, par dormir enfin pendant des heures, à moins que ce ne soit pendant des jours. Quand je m'éveille, je suis dans ma chambre. Le téléviseur joue en sourdine de l'autre côté du mur. Je lance un cri et, quelques instants plus tard, Magalie paraît.

— Enfin réveillée ?

CHAPITRE 12

Monde sans bogue
tournerait plus rond

CHEVEUX HIRSUTES et pieds nus, Safiya se rue dans ma chambre et saute sur mon lit.

— Aye, aye, aye! Maman n'est pas de bonne humeur, ce matin. Benoît est introuvable. Tu sais quoi? Je pense qu'il n'est même pas rentré hier. Je pense qu'il n'a même pas dormi dans son lit et qu'il a sauté dans un train. Voilà ce que je pense, moi. J'ai regardé dans sa chambre. Ses couvertures étaient toutes bien tirées.

La présence de ma jeune sœur décoiffe et rafraîchit tout à la fois, comme un coup de vent. Sa voix et son rire cristallins ensoleillent mes journées. Personne ne sait mieux qu'elle me distraire.

Le téléphone sonne. Safiya se penche vers moi et me désabrie.

— T'as bien dormi? Il fait super beau dehors aujourd'hui.

Elle pousse un grand soupir.

— Dommage que les vacances soient finies! On aurait pu se baigner ensemble toute la journée.

J'entends des pas tout près. Je reconnais facilement ceux de Raymond. Le plancher ne craque pas de la même façon à l'approche de Magalie.

— Je t'aide à choisir une tenue? demande Safiya.

Elle pousse mon fauteuil vide jusqu'à la penderie, applique les freins, puis grimpe sur le siège afin de pouvoir atteindre plus aisément les vêtements suspendus à la tringle. Elle me présente une à une ses sélections.

— Tu crois que Maman nous laisserait aller à l'école en bermudas? Tu as cette jolie paire rose et une autre avec des lunes et des pierrots. Oh, oui! tu as bien raison : moi aussi, je trouve qu'elle fait «bébé»...

Safiya parle beaucoup. Surtout, elle me parle normalement, comme Magalie avant, et elle m'écoute mieux que quiconque. Magalie s'est spécialisée dans la lecture de mes contractures; tandis que Safiya, elle, lit la guipure de mes pensées. Nous sommes des jumelles télépathes, séparées par un trou de cinq ans.

— À moins que t'aimes mieux ton jean brodé? Oui, je suis d'accord.

Un jour viendra où, comme Benoît, elle commencera à s'éloigner de la maison. On l'invitera à une pyjama-party chez des amies. Puis elle demandera de séjourner dans une colonie de vacances thématique, l'exploration spatiale ou la musique peut-être. Elle vivra toutes les aventures dont je ne peux que rêver et elle me les racontera à son retour. D'y penser, je m'ennuie déjà.

D'autres pas se font entendre, accompagnés de chuchotements. Magalie a rejoint Raymond. De l'autre côté du mur, ils échangent des paroles de grandes personnes. Ils ne soupçonnent pas la portée de mon ouïe affinée.

— Tu espionnes? demande Magalie.

— Certains enfants conversent avec un ami imaginaire. Safiya, elle, s'imagine des conversations avec Corinne. Elle pose les questions et fait semblant que sa sœur lui répond. C'est triste.

— Je ne trouve pas ça triste. Je trouve ça beau. Tu n'as pas aussi souvent que moi l'occasion de les regarder jouer ensemble. *They have a unique bond.* Il y a une tendre complicité entre les deux. À cause de sa grande sœur, Safiya montre déjà une ouverture à l'autre et une débrouillardise hors du commun, m'a dit sa maîtresse d'école. Tu ne le vois pas? Notre Safiya sera un jour une femme extraordinaire, et ce sera en grande partie à cause de sa sœur.

Le téléphone sonne.

— C'est sûrement Rodrigue, dit Magalie. Sa mère a promis qu'il nous appellerait dès qu'il serait sorti de la douche.

— Je vais répondre. Occupe-toi des filles, OK?

Entre-temps, Safiya a sorti un tee-shirt du chiffonnier et s'est rapprochée du lit. Elle a déboutonné ma robe de nuit, puis, avec une grande délicatesse, elle m'a tournée pour enlever une première manche. Elle me tourne à présent de l'autre côté. Elle a si souvent observé Magalie que les gestes lui viennent naturellement. Je m'émerveille de sa force et de sa précision.

— Maman va être surprise! dit-elle en me libérant de la deuxième manche. Comment va ta hanche ce matin? Elle te fait pas trop mal?

Je secoue la tête et, avec une grande délicatesse, elle soulève une à une mes jambes pour m'enfiler le bermuda choisi. Mon visage se crispe au moment où elle tire la ceinture par-dessus ma hanche droite.

— Oh, pardon.

J'offre une vocalise en guise de réponse : elle ne doit vraiment pas s'en faire. Magalie elle-même ne réussit plus à m'habiller sans m'arracher une grimace, et l'inquiétude strie le brun de ses yeux quand elle s'apprête à me repositionner. Tout heurte ce corps. La douleur me talonne partout, sauf dans l'eau. La musique la muselle ou l'atrophie. Une attaque hardie de mes hockeyeurs préférés lui enlève tous ses moyens, qu'elle retrouve toutefois bien vite après leur sortie de la patinoire.

— Bonjour mes coccinelles ! lance Magalie en pénétrant dans la chambre. Déjà habillées ! Je suis impressionnée.

Mon habilleuse sourit de toutes ses dents. Elle a glissé mes chaussures sur ses mains.

— Il reste juste ses chaussures à mettre, répond-elle en cognant l'une contre l'autre les semelles.

— Alors, je t'en laisse l'honneur, mais tu veux bien attendre que je l'installe dans son fauteuil ? Va dans la cuisine. Je te l'emmène dans deux minutes.

— D'accord.

Safiya s'éloigne en trottinant, mes chaussures toujours sur ses mains. Magalie s'adosse au mur. Je la sens qui lutte pour garder son calme. Raymond se joint à nous.

— Alors ?

— C'était bien Rodrigue. Selon lui, Benoît a probablement passé la soirée avec une fille qu'ils ont rencontrée à la Cantine à Suzie : une certaine Kat.

— Cette Kat va à leur école ?

— Non.

— Ça ne nous avance pas beaucoup. Mais où est-ce qu'il peut bien être ?

Nous passons à la cuisine, où les préparatifs du matin se poursuivent. Le téléphone sonne à nouveau. Raymond répond. Il a son ton officiel.

— Oui, je suis bien son père.

La conversation dure moins d'une minute. Aussitôt le combiné raccroché, Raymond se tourne vers Magalie et, d'une voix blanche, annonce :

— Il est dans un poste de police à Longueuil. On l'a cueilli gelé dans une *rave*.

Je me demande un instant si Magalie ne va pas se changer sous mes yeux en hyène enragée. Elle inspire lentement et profondément. Elle parvient ainsi à rester bien humaine.

— Bon, dit-elle. Aussitôt les filles parties pour l'école, je vais aller le chercher.

— Je vais t'accompagner.

J'avale ma boisson nutritionnelle et je m'embarque pour l'école. La journée me paraît bien longue. Je n'arrive pas à me défaire de l'image de mon frère cueilli par la police. L'a-t-on enfermé seul dans une cellule grise ? Lui a-t-on au moins donné une couverture pour qu'il se réchauffe ? Mon esprit vole à sa rescousse, et malgré des efforts convulsifs, mon enseignante ne réussit pas à le ramener en classe. Enfin, exaspérée, elle décrète : « Puisque c'est comme ça que tu l'entends, Corinne, tu resteras ici pendant que tes camarades et moi assisterons à la projection dans l'auditorium cet après-midi. »

Nul doute que mon journal de bord expose cette désobéissance. Magalie ne sourcille pourtant même pas quand elle le lit. Si mon frère ou ma sœur avait commis pareille incartade, si l'un ou l'autre avait été envoyé en retenue par exemple, elle aurait grogné et jappé férocement. Elle a, bien sûr, d'autres tracas en ce moment, mais je me rappelle une autre incartade, celle-là, survenue à la maison.

C'était juste avant les vacances d'été l'année de mes onze ans, somme toute une bonne année, sans trop de visites à l'hôpital. Je fis tomber un verre de jus sur le rapport de recherche de mon frère, à la fois pour le punir de m'avoir ignorée tout un après-midi et pour attirer l'attention de Raymond. Pas mon idée la plus brillante, je sais… Pauvre Benoît ! Il fut doublement puni : d'abord, il dut retranscrire son devoir ; ensuite, on le priva de sortie la fin de semaine suivante parce qu'il avait osé crier à l'injustice quand Raymond et Magalie avaient refusé de châtier mon geste.

— Benoît, sois raisonnable ! C'était un accident, tranchèrent-ils.

Ils se trompaient, et Benoît le savait. Je n'ai jamais oublié la colère et le mépris dans son regard charbonneux. Étrangement, sa colère était dirigée non pas contre moi, la coupable, mais contre Raymond et Magalie. Je pense que c'est très précisément à ce moment-là qu'ils perdirent à ses yeux leur statut mythique de parents et se virent rétrogradés à celui d'adultes bornés, perdant du coup leur prérogative d'infaillibilité. Il leur fallut un certain temps pour s'en rendre compte. Quant à Benoît, il attendit de pouvoir être seul avec moi, dénicha mon tableau Bliss, puis le plaça devant moi et me demanda :

— Tu as quelque chose à me dire ?

Je pointai un groupe de symboles :

En d'autres mots : « Je suis vraiment désolée. Pardonne-moi. »

— OK. Moi, je m'excuse de t'avoir ignorée, mais t'as intérêt à ne jamais me refaire un coup pareil !

Je baissai la tête.

— Nos parents te sous-estiment. Papa surtout… Ça a des avantages, ça t'évite bien des punitions ; mais j'imagine que ça écœure à la longue de ne jamais être entendue.

Ce soir, un silence pesant règne à table.

Benoît est de retour. Il est assis avec nous, mais ne nous voit pas. Quand Safiya, n'y tenant plus, ose le questionner sur son absence de la nuit dernière, c'est Raymond qui répond.

— Ton frère a fait une connerie et il va être puni en conséquence. Le reste, ça ne te regarde pas.

Sa brusquerie déclenche les pleurs de Safiya.

— Franchement, Raymond ! grogne Magalie en se levant pour consoler ma sœur.

— Toi, tu vas pas me faire la morale aujourd'hui ! crache Raymond.

Il frappe simultanément la table du poing et donne un coup de pied qui envoie valser sa chaise contre le mur. Safiya se met à pleurer de plus belle.

— Tu devrais faire un examen de conscience avant de me lapider, répond Magalie avec sang-froid.

— Tu veux vraiment qu'on parle de ça devant les enfants ? réplique Raymond en se rassoyant.

Je croyais que Raymond serait furieux contre mon frère. Or, s'il est visiblement déçu de lui, comme un maître peut l'être d'un chiot désobéissant, c'est contre Magalie qu'il lance ses malignes flèches. Je n'y comprends rien. Que s'est-il donc passé pendant la journée ?

Magalie quitte la table en poussant devant elle une Safiya effarouchée, qui ravale ses sanglots. Raymond se lève quelques secondes plus tard et sort en claquant la porte. Je reste seule avec Benoît, saisie par une peur que je ne comprends pas. Il manque des pièces au casse-tête. Benoît en cache sûrement quelques-unes dans ses poches.

— T'aimerais sûrement sortir de ton fauteuil, dit-il. Ça te tente d'écouter un film ? J'peux t'installer sur le sofa.

Il s'approche.

— Regarde-moi pas comme ça, Corinne. J'te raconterai pas ce qui s'est passé. J'ai juste envie d'oublier, OK ?

Benoît m'allonge devant le téléviseur. Il fait avaler au magnétoscope la cassette de *La Petite sirène*, lance la lecture, puis disparaît. J'ai le temps d'écouter le tiers du film avant que Magalie ne vienne me chercher pour le bain.

Benoît se glisse dans ma chambre au moment où elle me borde.

— Merci de t'être occupé de Corinne tout à l'heure.

— C'est rien.

Magalie se penche vers moi et m'embrasse sur le front. Benoît l'observe et, au moment où elle se lève, il lui demande à brûle-pourpoint :

— Comment tu connais l'agent Marcotte ? T'as couché avec lui ?

Magalie retombe sur le lit. Ses jambes semblent avoir soudainement perdu toute force.

— Tu parles d'une question…

— N'insulte pas mon intelligence, maman. Y'a assez de papa qui me prend pour un cave.

— Mon garçon, ne parle pas de ton père comme ça, dit-elle en se mettant debout. Vous avez vos différends, oui, mais ça n'est pas une raison pour lui manquer de respect.

— T'as pas répondu à ma question.

Magalie baisse les yeux.

— Ouais… Je vois. Ton silence équivaut à un aveu.

— Benoît…

Mon frère s'éclipse. Intentionnellement ou non, il m'a fourni une des pièces manquantes. Magalie se relève et l'appelle à nouveau, mais ne le suit pas. Ses pieds refuse-raient-ils de lui obéir ? Pendant une ou deux minutes, elle demeure figée sur place, flétrie.

Benoît malade réussit jadis à réunir notre famille dis-jointe. Le délinquant saurait-il répéter ce miracle ?

Magalie se secoue, éteint et sort précipitamment. Je mets du temps à m'endormir. Une vieille question revient me hanter, une angoisse qui ne m'avait pas visitée depuis la côte Ouest : et si ma place était ailleurs ?

J'aime ma famille, mais je lui suis néfaste. Après tout, n'ai-je pas spolié Raymond et Magalie de leur romantisme ? Mon départ pourrait faciliter leur réconciliation. Je suis, directement ou indirectement, coupable de la majorité de leurs disputes et inquiétudes, moi, l'enfant brisée aux accessoires encombrants, qu'il faut conduire à tout bout de champ chez les médecins. J'accapare leurs soins et atten-tion, tandis que Safiya et Benoît se partagent les miettes. Par voie de conséquence, ne suis-je pas aussi coupable de la délinquance de Benoît ?

Il y a beaucoup de cris dans les jours et les semaines qui suivent, beaucoup de portes claquées qui arrachent des larmes à Safiya. Mes douleurs empirent ; mes questionne-ments dégénèrent. Les heures me semblent des mois. Je multiplie les envolées. Je fuis vers des mondes étranges en quête d'une baguette magique. Je m'imagine en naufragée de l'espace, incapable de rentrer sur terre.

Mais je reviens toujours sur terre et, toujours, je retrouve la planète au même point de sa révolution sidé-rale. Une fois, juste une fois au moins, je voudrais sauter quelques rotations. Je suis sage. Il est plutôt rare que je me plaigne. Ne pourrait-on pas m'accorder ça ?

L'apparition d'une plaie, forée par mon ischion droit, déclenche la panique chez Magalie. On devance mon rendez-vous semestriel avec la docteure Perrot. L'examen est bref ; le problème crève les yeux, paraît-il. Comme il réside sur ma face cachée, il n'existe pour moi qu'en sensations. Je ne peux pas accuser la barre de fer : sauf les contorsionnistes, les humaines ne voient cette partie de leur anatomie que dans un miroir.

Magalie déballe ses inquiétudes : douleur, inappétence, etc. La docteure accueille chacune avec la même question : « Depuis quand ? » Puis elle se tait. Assise à son bureau, elle parcourt mon dossier. À plusieurs reprises, elle secoue la tête et soupire. Quelle déception je suis ! Enfin, pour soigner la plaie, elle prescrit l'horizontalité et l'application de plusieurs topiques nauséabonds. Pour la douleur, elle convoque une conférence de sarraus-blancs. Au jour et à l'heure prévus, je m'y présente avec Magalie, ma fidèle accompagnatrice, laquelle je perds de vue dès que m'encerclent les sarraus.

Dans ma robe d'examen en papier, je grelotte. Je ne suis pas dupe des faciès impassibles. Je connais les instincts de cette meute, son avidité de dépecer. Je ne crains pas la mort. Je sais bien que ce corps n'est pas fait pour durer — même les plus solides commencent à pourrir debout après un demi-siècle. Et puis mes voyages éthéréens ont gardé vivant en moi le souvenir de ma véritable nature, bien au-delà de l'âge de raison — cet âge où la programmation socioparentale devient pleinement effective et supplante notre connaissance innée des choses.

La pourriture libère. Elle nous permet, tel un serpent, de jeter une enveloppe devenue trop étroite.

Non, je ne crains pas la mort. Je crains par contre qu'avec ses scalpels et aiguilles la meute ne retarde encore ma mue. Au nom d'un présumé bien-être à venir, elle découperait n'importe quoi.

À l'unanimité, les médecins recommandent une nouvelle chirurgie pour réduire mes douleurs et améliorer mon confort en position assise. Dans la salle d'une blancheur frigorifiante, ils discutent froidement divers scénarios opératoires. Je n'entends rien à leur langage. Cavité coxo-fémorale, acétabulaire, psoas, résection… Ils se gargarisent de leurs mots savants.

— Quelqu'un aurait l'obligeance de m'expliquer?

Magalie, que je croyais volatilisée, interrompt les supputations. La docteure Perrot s'approche doucement et lui souffle à l'oreille quelques explications tout en griffonnant sur un bloc-notes.

Entre-temps, les autres ont repris derechef leurs gargarismes, sans plus d'égard pour moi ou ma génitrice.

— Quoi? Vous n'êtes pas sérieux! s'écrie Magalie. Vous n'allez pas laisser sa jambe pendouiller comme ça? Vous n'allez pas mutiler ma fille!

Cette fois, les têtes se tournent en synchronie vers celle qui ose encore troubler la conférence. La meute se tait. Ses membres, saisis d'un malaise tout humain, se jettent des regards furtifs. L'un d'eux, qui a les cheveux aussi blancs que son sarrau, décide d'intervenir.

— Hum, hum, hum… Pardonnez-nous, Madame Larose.

— Zarrouk. Larose est le nom de mon époux.

— Bien entendu. Madame Zarrouk, je vous demande pardon si nous vous avons semblé un peu trop euh… désinvoltes. Mais j'avoue ne pas comprendre votre résistance à la chirurgie. Corinne n'a plus de qualité de vie. Notre seul objectif est de l'améliorer. Comme mère, vous souhaitez certainement offrir la meilleure qualité de vie possible à votre fille, n'est-ce pas?

Que sait-il, le bonhomme, de ma vie pour en juger la qualité? Que sait-il de la vie tout court? Les poches sous ses yeux et son teint grisâtre prouvent qu'il y a belle lurette qu'il n'a lézardé au soleil et regardé pousser les fleurs. Certes, j'ai connu de meilleures périodes...

— Et puis après, qu'est-ce que ça sera?

Magalie canalise ma colère. J'ai l'impression de parler par sa bouche.

— Je ne comprends pas, Madame Zarrouk.

— Vous lui avez étiré les tendons à plusieurs reprises. Vous lui avez riveté la colonne. Et maintenant vous allez lui défaire la hanche. Qu'est-ce que ça sera après? Combien de chirurgies son petit corps devra-t-il encore endurer? Avant de penser à couper, est-ce qu'on ne pourrait pas essayer de contrôler sa douleur avec autre chose que de l'acétaminophène?

La réponse vient cette fois de la docteure Perrot:

— Magalie, normalement, on prescrirait un opiacé, sauf qu'il est difficile de prévoir les effets secondaires avec une enfant comme Corinne. Elle risque d'avoir encore plus de difficultés à déglutir et sa respiration pourrait être dangereusement déprimée. La chirurgie est vraiment la seule solution durable, et j'aimerais qu'en partant d'ici on ait arrêté une date.

— Il faut que je réfléchisse à tout ça, que j'en parle avec son père.

— Magalie...

— Ça fait douze ans que je saute à la demande dans tous vos cerceaux, rugit la lionne.

Je me trompe, ce n'est pas ma colère qu'elle canalise; c'est la sienne qu'elle laisse enfin déferler.

— Douze ans que j'obéis à vos commandements sans jamais considérer ce qu'il pouvait en coûter à Corinne et à ma famille. Pour vous, c'est simple. À tout problème, sa solution… Mais on ne parle pas d'un tacot à l'essieu croche ou au carburateur encrassé qu'il suffit d'amener chez le garagiste. On parle d'un être humain. D'une enfant. Et, à l'heure actuelle, rien n'apporte autant de joie à cette enfant que le temps passé avec sa petite sœur. Ça ne durera pas éternellement, parce que les enfants grandissent, parce que l'enfance finit toujours brutalement, au moment où vous vous y attendez le moins. Est-ce que Corinne aura un avenir?

Le docteur au teint gris s'esquive. La docteure Perrot, elle, continue d'encaisser.

— Depuis qu'elle est longue comme ça, continue Magalie en écartant les mains pour indiquer la mesure, depuis qu'elle est longue comme ça que vous et moi prenons des décisions en fonction de son avenir — un avenir au conditionnel plein de «si», de «peut-être» et de «vraisemblablement». À douze ans, Corinne a déjà passé à l'hôpital six fois, dix fois plus de temps que les gens normaux en passent dans une vie. Alors, si ça ne vous dérange pas, avant de lui voler un autre morceau de son enfance, je voudrais réfléchir un peu et prendre le temps de discuter les pour et les contre en famille.

Hourra, ma lionne! Hourra! Dans ton cirque à l'envers, tu brandis les cerceaux enflammés. Au loin, j'entends une musique d'accordéon tristement gaie, qui tourne et trotte sous les guirlandes de lumières. «Approchez!» crie un clown pathétique. «Approchez! Mesdames et Messieurs.» Je chevauche le manège. Les chevaux de bois sont en vérité de plastique, mais quand même jolis. Agrippée au cou de mon Pégase, je l'encourage à redoubler d'ardeur. Le vent qui caresse sa fausse crinière vient de plaines lointaines, bronzées par un soleil insomniaque. Ses sabots foulent sarraus et calendriers.

Magalie me soulève et m'emporte. La docteure Perrot nous rattrape à la sortie et nous enjoint de ne pas trop tarder à prendre une décision. Sur un ton faussement compatissant, elle ajoute à demi-mot quelque chose à propos des nerfs maternels et des services de répit offerts aux parents d'enfants handicapés.

— Vous savez, il n'y a pas de honte à...

— Au revoir, docteure.

Je suppose que Magalie fait son compte rendu à Raymond le soir même, dans l'intimité de leur chambre. Le lendemain, la routine reprend. La vie sur la ferme ne laisse pas beaucoup de temps à la contemplation ou aux discussions philosophiques. Raymond serre un peu plus les mâchoires. Magalie retient sa langue. Ni l'un ni l'autre ne mentionnent à portée de mes oreilles les mots « chirurgie » ou « répit ». En surface, tout semble à peu près normal. Qu'importe si cette normalité n'est qu'une mise en scène, du moment qu'elle permet de tenir une autre journée.

Les coups n'en finissent pas de pleuvoir sur cette famille. Elle craque. Ses os se ressouderont-ils ? Seront-ils, comme on le prétend, encore plus forts après ?

Je pense que c'est pour nous distraire tous les cinq que Benoît enfreint de nouveau les règles de la maison. Raymond et moi sommes allongés devant le téléviseur quand Magalie constate son délit. De la cuisine nous parvient un beuglement.

— Qu'est-ce que c'est que ça ?

Raymond a réussi à positionner nos corps de manière à soulager ma hanche endolorie. Il n'ose pas bouger. Nous attendons donc que l'action vienne à nous. Je garde un œil sur l'écran, où un gringalet à lunettes poursuit son exposé jargonneux sur la dernière trouvaille du gouvernement pour «effrayer le peuple». L'expression est de Raymond, selon qui des éminences grises utilisent la peur pour nous distraire des *vrais* problèmes.

> *... banques et réseaux électriques sont les plus vulnérables d'après les profils de risques établis. Mais, en fait, tous les secteurs pourraient être «impactés» à des degrés divers. Le bogue, prévoit-on, pourrait coûter aux entreprises et aux contribuables canadiens près de...*

Magalie ne tarde pas à paraître, tirant Benoît par le bras. Raymond saisit la télécommande et coupe le son du téléviseur.

— Regarde! Il s'est fait tatouer.

Raymond jauge la situation. Pendant un instant, c'est le silence complet.

— T'étais trop gelé pour te souvenir de la discussion que nous avons eue, je suppose! lance finalement Magalie, excédée.

Un superbe dragon rouge et noir s'enroule autour de l'avant-bras de Benoît et tire la langue sur sa main. Magalie l'a empoigné juste sous la crinière.

— Non, j'étais pas gelé. Ça m'est arrivé une seule fois. C'était un *trip* de gang, et j'ai pas l'intention de le recommencer. Combien de fois je vais devoir le répéter avant que tu me crois?

— C'est difficile de te croire alors que tu continues de collectionner les bêtises, dit-elle.

— Tu m'as donné pour commandement de ne pas prendre de décision sur un coup de tête, et c'était pas un coup de tête. J'ai réfléchi pendant des mois au positionnement de mon dragon, à ses couleurs, à...

— Et tu as aussi réfléchi aux risques pour ta santé, hein ? Tu as réfléchi à la réaction de tes futurs employeurs, à l'image que tu vas projeter ? Tu te souviens, je t'ai raconté ce qui est arrivé à une collègue de ta tante Sarah quand, à l'intérieur d'un même mois, elle s'est fait percer l'arcade sourcilière et tatouer la nuque...

D'un vague geste de la tête et des épaules, Benoît laisse entendre qu'il ne s'en souvient pas ou que cela l'indiffère totalement, ce qui revient à la même chose au final.

— T'es bien un Larose !

Puis elle ajoute, pour Raymond :

— Il a hérité de ton ouïe sélective.

— Et de *ta* tête de cochon, dit Raymond.

Benoît s'interpose :

— Ce dont je me souviens, c'est que vous étiez contre les perçages. La discussion a porté sur les perçages uniquement, rétorque-t-il frondeur. Tu peux m'examiner. J'ai pas un trou. Ça, fait-il en avançant fièrement le bras, c'est juste un petit quelque chose pour marquer le nouveau millénaire. Le dragon symbolise la force et le courage, vous savez ?

Il inspire et entrouvre les lèvres, comme s'il allait ajouter quelque chose, puis ravale *in extremis* les paroles sur le bout de sa langue.

— Il a raison, dit Raymond à l'étonnement général. Nous n'avons parlé que de perçages. Alors, techniquement, il n'a pas désobéi.

Magalie le fusille du regard.

— Mais j'attendais quand même plus de jugement que ça de toi, ajoute-t-il à l'intention de mon frère. Tu me déçois. Une boucle d'oreille, à la rigueur, ça s'enlève. Mais un tatouage, c'est permanent.

Ça y est. Ils sont unis. Tant que durera la polémique, la trêve tiendra. Leur responsabilité parentale l'emporte sur leurs différends de couple. Ils forment front commun contre mon frère.

— T'es au moins allé dans un établissement réputé qui suit les règles d'hygiène? demande Magalie.

Benoît esquisse un sourire insolent.

— Je suis pas con, m'man. T'en fais pas. L'artiste a utilisé des aiguilles neuves.

— L'artiste... l'artiste! Parce que tu appelles ça de l'art, toi, se faire massacrer le corps comme ça?

Loin de se calmer, la colère de Magalie enfle.

— Ça va faire, le sermon, OK? J'ai compris. Alors, infligez-moi au plus vite ma punition et qu'on en finisse, 'stie!

— Mon garçon, surveille ton langage, avertit Raymond d'une voix abyssale.

— Il y a bien assez de ton grand-père Larose qui sacre! dit Magalie. Tu n'es pas le fils d'un cultivateur inculte. Ton père et moi, nous sommes passés par les bancs de l'université.

— J'te savais pas « classiste », maman. De toute façon, tu te fourvoies en ramenant 'stie, câlisse, tabarnac p'is le reste de la chapelle à une question de classe sociale. C'est pas une question de classe, mais de culture. Quand je dis 'stie, j'affirme mon identité québécoise, OK? Naturellement, je m'attends pas à ce que tu comprennes. Toi, t'es née à Toronto de deux parents importés.

Si nous étions dans un dessin animé, de la fumée sortirait des oreilles de Magalie. Benoît a poussé un peu loin la distraction.

— Ma mère est née à Ottawa.

— C'est ça, hors Québec, de parents suisses-allemands et elle a passé les trois quarts de sa vie à l'étranger.

Raymond tranche : identitaire ou non, 'stie et compagnie seront bannis sous notre toit. On renvoie mon frère à sa chambre après des remontrances plutôt confuses sur la pente glissante de sa rébellion adolescente. Sa sentence sera prononcée au petit-déjeuner. Benoît s'éloigne d'un pas nonchalant, mains dans les poches. Parvenu à l'escalier qui mène à l'étage, il se retourne pour une ultime attaque.

— Vous avez probablement fait pire !

Ils ne le démentent pas, ne répliquent pas. Quand mon frère est hors de vue, Magalie écarte les bras et pousse un grand « ah » d'exaspération.

— *Where did we go wrong?*

Magalie s'assoit face à Raymond, sur le bord de la table à café. Leurs yeux convergent sur moi. Que voient-ils lorsqu'ils me regardent ?

— Si j'avais écouté mon père il y a dix-huit ans, on n'en serait pas là. D'abord, ça a été une grossesse imprévue. Depuis, nous deux, on dirait qu'un dérapage n'attend pas l'autre.

Leur visage exprime une telle douleur. Est-ce la leur ou le reflet de la mienne ? L'une a-t-elle causé l'autre ? Je ne sais plus.

— Pourtant, je me souviens de notre rencontre comme d'un moment épique, dit-elle avec un demi-sourire.

— Comme si l'univers avait conspiré pour me mettre sur ton chemin ce soir-là.

— Nous étions loin de nous douter où ça nous mènerait.

À nouveau, leurs regards convergent vers moi. Et plus ils me regardent, moins je sais. En échange de leurs peines, quelles fleurs odorantes pourrais-je bien leur offrir ? Si seulement je pouvais m'entretenir avec eux comme avec Safiya… Il y a tant que je voudrais leur dire et tant que je voudrais leur demander. Si le non-dit entre nous se condensait en gouttelettes et que les nuages ainsi formés crevaient au-dessus de cette vallée, le Richelieu gonflerait jusqu'à lécher notre perron.

— Mon petit ange brisé, murmure Magalie.

Doucement, elle s'avance vers moi. Puis, avec d'infinies précautions, elle me soulève et m'emporte. M'ayant baignée, séchée et massée, elle me couche. Elle essaie plusieurs positions, mais je n'en tolère aucune. Elle écrase deux comprimés dans une cuillerée de compote et me confie à nouveau aux bras de Raymond ; à l'étage, une enfant attend comme un parfait petit ange que sa maman vienne la border et lui lire une histoire.

Raymond a tamisé les lumières du salon et éteint le téléviseur. Sur la minichaîne, un disque de Miles Davis tourne en sourdine. Bercés par la musique, nous nous coulons ensemble dans le sofa, imbriqués l'un dans l'autre, mi-assis mi-couchés. Mes membres commencent à se relâcher ; petit à petit, la douleur s'émousse.

— Ça va mieux, hein ? dit Raymond d'une voix très douce.

Je ne réagis pas. J'ai trop peur de réveiller le mal et d'écourter ce moment d'intimité. Je ralentis ma respiration.

— Ah, Corinne… Qu'est-ce qu'on va faire ?

Sa voix devient un bruissement.

— Qu'est-ce qu'on va faire ? Je ne sais plus. Je m'inquiète pour ton grand frère, dit-il.

Des sanglots tentent de crever la surface de ses mots, qui ne s'adressent pas vraiment à moi. Peut-être Raymond parle-t-il à l'homme qu'il aurait pu être n'eût été du moment épique où son chemin a croisé celui de Magalie, faisant ainsi basculer leur destin à tous les deux.

— Il aurait fallu lui donner plus d'attention. Magalie et moi, il aurait fallu lui consacrer plus de temps... Mais tu demandais tellement de soins.

Je remarque qu'il parle au passé, pourtant je demande aujourd'hui encore plus de soins qu'avant.

— Nous nous sentions tellement dépassés.

Je connais par cœur les silences de Raymond, ses regards, ses hésitations. Je connais les humeurs de ses mains, tantôt compassionnées, tantôt révoltées. Surtout, je connais la courbure de ses épaules ployant imperceptiblement sous le poids des soucis et désappointements quand il sort de ma chambre ou quand, après un esclandre conjugal, il fuit à l'étable ou aux champs. Sa voix, elle, j'ai l'impression de ne pas vraiment la connaître.

— Des fois, j'imagine ce qu'aurait été notre vie si t'étais morte à l'hôpital. T'étais bleue quand t'es sortie de l'utérus de Magalie. T'étais morte.

La vie aurait été plus simple pour tout le monde, je suppose. Mais est-ce que Safiya serait quand même née? Serait-elle la Safiya que je connais et que j'aime? Le *Grand froid* n'aurait sans doute pas eu lieu; mais sans le *Grand froid*, les relations entre Colette et Magalie auraient-elles pu se réchauffer jusqu'à faire fondre leurs préjugés et leur méfiance?

— Tu serais restée morte si les médecins ne s'étaient pas pris pour Dieu le Père tout-puissant. Moi, j'aurais laissé la nature suivre son cours.

Il déverse en moi le torrent de ses mots chargés de regret; un torrent d'une force telle que j'imagine mal comment il a pu le contenir tout ce temps. Peut-être que c'est à l'étable, auprès de nos vaches, qu'il l'a toujours déversé. Ce soir, coincé sous moi, il m'a prise pour réceptacle. Je partage après tout le mutisme des bêtes.

— Combien de fois t'as frôlé la mort, combien de pneumonies ont failli t'emporter… Et puis quand, ta mère et moi, on a finalement résolu de laisser faire la nature, la nature, elle, a changé d'idée. Tu t'es remise sans oxygène ni antibiotiques.

Ses paroles se confondent par moments avec la musique de Miles. La mélopée de la trompette m'emplit de mélancolie. Malgré ma connaissance des périls de l'apitoiement, me voilà tâtant le trou qui, faute d'amour paternel, bée toujours dans mon cœur.

— Je repense souvent à l'après-midi où on a inauguré la piscine. Je t'ai rarement vue aussi heureuse…

Un trou de taille à faire le bonheur des spéléologues.

— Tu as toujours aimé la baignade. Magalie t'a hissée sur une chambre à air qu'elle s'est mise à pousser sur l'eau. Il faisait beau. C'était une journée d'été parfaite. Ouais… C'était une journée comme dans les chansons et comme dans mes souvenirs d'enfance ; une journée sans horloge, sans rendez-vous, sans chicane. On était tous dans la piscine, sauf Safiya, qui se méfiait de cette espèce de bain géant. On ne voulait surtout pas la brusquer. Ça fait qu'on l'a laissée jouer sur le bord avec ses seaux, ses cuillers et ses canards en plastique. À un moment donné, la petite *bon-yenne*, elle a décidé qu'elle voulait faire comme nous autres. Elle s'est jetée à l'eau. Elle savait pas encore nager. T'imagines ? On a tous paniqué, et on s'est tous précipités pour l'attraper. Ta mère aussi. C'est arrivé tellement vite… Quelques secondes plus tard, quand notre attention s'est reportée sur toi, t'étais sous l'eau. T'avais glissé. Deux repêchages à la file… Ta mère était livide. Toi et Safiya, vous riiez aux éclats. Vous n'aviez pas eu conscience du danger. Moi… moi…

Je me souviens aussi de cette journée-là, une des plus belles que nous avons passées ensemble tous les cinq. Dans ma mémoire, elle n'évoque que rires et acrobaties aquatiques au soleil. Comment Raymond et moi pouvons-nous en garder un souvenir aussi différent?

— J'ai honte de l'admettre, mais il m'arrive souvent depuis de me dire que... Je sais, un père devrait pas avoir des idées comme ça.

Je voudrais qu'il se taise maintenant. Il va me noyer dans son torrent.

— Un père, un père normal ne souhaite pas la mort de sa fille.

Seulement, lui, Raymond Larose, fils de Bertrand Larose et de Colette Jodoin, il a de fait souhaité ma mort. J'ai été morte. Les médecins m'ont ramenée, mais, pour lui, je n'ai toujours été qu'une morte vivante.

— Pourtant, quand je repense à cet après-midi-là, et j'y repense souvent, crois-moi, je vois pas une tragédie évitée. Non, moi je vois une libération manquée... Ta libération, Corinne.

À l'hôpital, ligotée et intubée, j'ai appelé une libération. J'ai été exaucée : mes ailes ont finalement repoussé. Sauf que Raymond ne parle pas de la même sorte de libération.

— On dit qu'y a pas plus belle façon de mourir qu'en faisant ce qu'on aime. Je crois pas qu'il y ait quelque chose au monde que tu aimes plus que la baignade.

Ma mort le libérerait, lui.

— En vérité, moi, je voudrais plus vivre si je me retrouvais incapable de marcher, dépendant des autres pour manger, me laver, m'habiller... Je me suiciderais. Est-ce que ça fait de moi un lâche? J'sais pas. Endurer le martyre, subir chirurgie sur chirurgie, c'est pas une vie, ça. Je vois bien que t'en as assez. Mais toi, tu peux pas te suicider.

Ton seul espoir serait que quelqu'un t'aime assez pour te suicider à ta place.

Dans mon dos, je sens la chaleur de son corps, le mouvement de sa respiration, les battements de son cœur. À cet instant, parfaitement emboîtés l'un dans l'autre, nous faisons presque un. Et il a choisi cet instant pour me révéler l'énormité de son rejet. De toutes mes cellules, je voudrais crier. Cela ne servirait cependant à rien. Je vais me taire et entendre jusqu'au bout son abominable confession. Me taire et écouter, tels sont mes dons.

— On ne demande pas à un boiteux d'aimer son pied bot, à une cancéreuse d'aimer sa tumeur... C'est pas humain, ce que les médecins ont fait. C'est pas humain. Ils ont pas pensé aux conséquences. On traite mieux que ça nos animaux.

Il pousse un profond soupir et dépose sur mon crâne un baiser : sa demande de pardon. Raymond et Magalie s'étaient concocté un beau programme. Un bogue est venu tout saboter.

CHAPITRE 13

À travers les fissures,
la lumière se fraie un chemin

A I-JE GLISSÉ?
Un instant, je flottais sur mon radeau gonflable; l'autre, je coulais. Mes poumons vidés d'air tentent une dernière inspiration; mes membres s'agitent chaotiquement, futilement. Je n'ai pas peur. Déjà, les voix et bruits du monde se font confus. Pendant un instant, j'ai l'impression que ma poitrine va exploser, puis un incomparable calme sature mon être.

L'eau engloutit mon corps. Les images défilent avec une clarté époustouflante sur l'écran de mon esprit et je recouvre la mémoire des choses que j'avais oubliées.

Je m'élève.

Filtrés par la roseraie, les rayons du soleil dessinent des ombres énigmatiques sur le mur de la maison. Qui soupçonnerait, en regardant ce noir lacis, la beauté et le parfum sublime des fleurs?

J'ai vu venir la fin ; j'ai senti très tôt l'attraction du large. Chaque vie, chaque rivière a son cours et son embouchure. Les piscines se déversent dans les égouts puis les rivières et les fleuves pour aboutir à l'océan. Je nagerai bientôt librement avec les baleines. J'accueille la dissolution du temps et de la douleur.

Libérée de ma coque de chair et d'os, j'observe à distance mes parents.

Raymond me hisse hors de l'eau ; avec précaution, il allonge cette coque sur le sol. Magalie accourt depuis la roseraie. Elle n'a pas enlevé ses gants de jardinage, elle n'a pas secoué la terre maculant ses vêtements. Tout en criant, elle avance à grandes enjambées vers mon corps immobile. Étrange : j'ai tant craint qu'elle ne se déleste avant moi de son enveloppe charnelle. Raymond, penché sur ma dépouille, fixe d'un air hébété ma poitrine, à l'endroit même où, quelques instants plus tôt, un cœur battait encore. Il serre les dents. Ses épaules se voûtent un peu plus. Il continuera d'attendre une libération.

Appuyé au chambranle d'une fenêtre au deuxième étage, Benoît contemple stoïquement la scène en habitué des mauvais voyages.

Au loin, j'aperçois l'étable. Un couple d'hirondelles s'y faufile par une fissure. Tous les printemps, il revient nicher sur les hautes poutres au-dessus des stalles. Il n'est jamais venu à l'idée de Raymond de leur boucher l'accès.

J'ai été ; je m'envole. Mon seul regret : j'aurais voulu, avant de répondre à l'appel du large, faire éclore sur le visage de Magalie un sourire odorant comme une rose. J'aurais aussi voulu dire à Raymond l'amour que, malgré tout, j'ai pour lui ; il m'entendra lorsqu'il acceptera d'écouter, quand il laissera dedans la lumière briller. Safiya l'y aidera.

Je pars, mais une part de moi, pour toujours, les accompagnera. L'écho de mes silences jacasseurs se prolongera longtemps dans leurs oreilles. Un jour, ils l'entendront.

Remerciements

Je remercie L.-P. M., R. Z., M. L. et M.-P. V., qui ont placé en moi une grande confiance en acceptant de se raconter. Leurs témoignages m'ont aidée à donner plus de substance aux personnages de cette histoire.

Je remercie également mes premières lectrices : Claire, Marie et Anne — cette dernière, deux fois plutôt qu'une, puisqu'elle a aussi été l'adjuvante de ma discipline pendant l'étape ingrate, mais combien nécessaire, de la réécriture.

Table des matières

VOIX NARRATIVES
Collection dirigée par Marie-Anne Blaquière

FAUQUET, Ginette. *La chaîne d'alliance*, en coédition avec les Éditions La Vouivre (France), 2004.

FLAMAND, Jacques. *Mezzo tinto*, 2001.

FLUTSZTEJN-GRUDA, Ilona. *L'aïeule*, 2004.

FORAND, Claude. *R.I.P. Histoires mourantes*, 2009.

FORAND, Claude. *Ainsi parle le Saigneur*, 2006.

GAGNON, Suzanne. *Passeport rouge*, 2009.

GRAVEL, Claudette. *Fruits de la passion*, 2002.

HARBEC, Hélène. *Chambre 503*, 2009.

HAUY, Monique. *C'est fou ce que les gens peuvent perdre*, 2007.

HENRIE, Maurice. *Petites pierres blanches*, 2012.

JEANSONNE, Lorraine M. M. *L'occasion rêvée… Cette course de chevaux sur le lac Témiscamingue*, 2001. Épuisé.

LAMONTAGNE, André. *Les fossoyeurs. Dans la mémoire de Québec*, 2010.

LAMONTAGNE, André. *Le tribunal parallèle*, 2006.

LEPAGE, Françoise. *Soudain l'étrangeté*, 2010.

MALLET-PARENT, Jocelyne. *Celle qui reste*, 2011.

MALLET-PARENT, Jocelyne. *Dans la tourmente afghane*, 2009.

MARCHILDON, Daniel. *L'eau de vie (Uisge beatha)*, 2008.

MARTIN, Marie-Josée. *Un jour, ils entendront mes silences*, 2012.

MUIR, Michel. *Carnets intimes. 1993-1994*, 1995. Épuisé.

PIUZE, Simone. *La femme-homme*, 2006.

RESCH, Aurélie. *La dernière allumette*, 2011.

RESCH, Aurélie. *Pars, Ntangu!*, 2011.

RICHARD, Martine. *Les sept vies de François Olivier*, 2006.

ROSSIGNOL, Dany. *Impostures. Le journal de Boris*, 2007.

ROSSIGNOL, Dany. *L'angélus*, 2004.

THÉRIAULT, Annie-Claude. *Quelque chose comme une odeur de printemps*, 2012.

TREMBLAY, Micheline. *La fille du concierge*, 2008.

TREMBLAY, Rose-Hélène. *Les trois sœurs*, 2012.

VICKERS, Nancy. *La petite vieille aux poupées*, 2002.

YOUNES, Mila. *Nomade*, 2008.

YOUNES, Mila. *Ma mère, ma fille, ma sœur*, 2003.

IMPRIMÉ SUR PAPIER SILVA ENVIRO
100 % POSTCONSOMMATION
TRAITÉ SANS CHLORE, ACCRÉDITÉ ÉCO-LOGO
ET FAIT À PARTIR DE BIOGAZ.

COUVERTURE 30 % DE FIBRES POSTCONSOMMATION
CERTIFIÉ FSC®
FABRIQUÉ À L'AIDE D'ÉNERGIE RENOUVELABLE,
SANS CHLORE ÉLÉMENTAIRE, SANS ACIDE.

Couverture : Andrey Shadrin (Shutterstock® images)
Photographie de l'auteure : Valerie Keeler, Valberg Imaging
Maquette et mise en pages : Anne-Marie Berthiaume
Révision : Frèdelin Leroux

Dépôt légal, 3ᵉ trimestre 2012
ISBN 978-2-89597-270-9

ACHEVÉ D'IMPRIMER EN SEPTEMBRE 2012
SUR LES PRESSES DE MARQUIS IMPRIMEUR
MONTMAGNY (QUÉBEC) CANADA